CYFAREDD EIFIONYDD

CYFAREDD EIFIONYDD

Ysgrifau Elis Gwyn
Detholwyd gan Dyfed Evans

gyda chydweithrediad *Y Ffynnon*

Argraffiad cyntaf: Hydref 2002

ⓗ *Mair Jenkin Jones*

Cyhoeddwyd yr ysgrifau yn wreiddiol yn Y Ffynnon

Rhif Llyfr Safonol Rhyngwladol:
0-86381-801-3

Y lluniau pen ac inc o waith yr awdur

Argraffwyd a chyhoeddwyd gan Wasg Carreg Gwalch,
12 Iard yr Orsaf, Llanrwst, Dyffryn Conwy, LL26 0EH.
☎ 01492 642031
🖷 01492 641502
✆ llyfrau@carreg-gwalch.co.uk
Lle ar y we: www.carreg-gwalch.co.uk

Elis Gwyn
(casgliad Geoff Charles, Llyfrgell Genedlaethol Cymru)

Cynnwys

Cyflwyniad

Mewn cyfnod o un mlynedd ar hugain ysgrifennodd y diweddar Elis Gwyn Jones ddau gant a deugain namyn un o erthyglau i *Y Ffynnon*, papur bro Eifionydd, dan y teitl 'Dyddiadur J.T.'. Ni fethodd fis o'r rhifyn cyntaf un ym Medi 1976, nes i afiechyd ei lesteirio yn Rhagfyr 1997. Roedd darllen eang ar yr ysgrifau hyn a amlygai wybodaeth a diwylliant eang. Trafodai iaith a llenyddiaeth, natur a'r amgylchfyd, celfyddyd gain a phensaernïaeth, cerddoriaeth a garddwriaeth, pob math o bynciau yn eu holl amrywiaeth ddifyr a chyfoethog. Detholiad o ddeg a thrigain o'r erthyglau hynny a welir yn y gyfrol hon.

Yn ogystal â'r graen ar y cyfraniadau yr oedd Elis Gwyn yn batrwm o golofnydd o ran prydlondeb hefyd. Ni bu'n rhaid i'r un o olygyddion y papur ei atgoffa erioed fod y dyddiad cyhoeddi yn nesáu. Yn ddi-dor am un mlynedd ar hugain fe gyrhaeddodd ei gyfraniad yn ddi-feth ar y diwrnod penodedig – ac eithrio un waith. Nid diffyg ar ran J.T. oedd hynny ychwaith. Yr oedd ef, y mis hwnnw hefyd, wedi postio ei golofn mewn da bryd ond aethai'r amlen, ysywaeth, yn sownd uwchben y twll yn y blwch coch ar fin y ffordd.

Un o wŷr Eifionydd oedd Elis Gwyn, yn hyddysg iawn yn hanes y cwmwd ac yn warchodwr glew i'w ffiniau. O gynhysgaeth ei gefndir a'i brofiadau yn y fro honno yr edrychai ar Gymru a'r byd a gwareiddiad. Fe'i ganwyd yn Nhy'n Llan, Llanystumdwy yn 1918 a heblaw am ei flynyddoedd yng Ngholeg Bangor ni symudodd ond rhyw filltir oddi yno i Lodge Talhenbont a Thy'n Morfa a Felin Bach, cyn dychwelyd i Dy'n Llan i fyw.

Pan oedd ef yn fyfyriwr ym Mangor yr oedd y pellter rhwng y ddinas honno a Llanystumdwy yn dipyn mwy nag y mae heddiw, ond ni chollodd erioed afael ar yr hyn a ddigwyddai yn ei filltir sgwâr. Fe'i cedwid yn 'llythrennog ac yn hyddysg', chwedl yntau, yn hanes byw y pentref a'r ardal gan ddau o'r llythyrwyr mwyaf dawnus y bu erioed yn gohebu â hwy, sef Wil, ei frawd – y dramodydd W. S. Jones – a Jac, ei gyfaill – John Griffith Williams, llenor *Pigau'r Sêr*.

O ysgol y pentref aeth Elis Gwyn i Ysgol Sir Porthmadog ac yna i Goleg y Gogledd i astudio Cymraeg, Saesneg, Groeg a Lladin. Wedi graddio yn y Gymraeg bu'n athro llanw yma ac acw am gyfnod cyn ei benodi'n athro pynciau cyffredinol yn Ysgol Sir Pwllheli. Bu'n athro ym Mhwllheli am dros ddeng mlynedd ar hugain, eithr nid athro iaith a llenyddiaeth Gymraeg na phynciau cyffredinol ychwaith.

O fewn cwta dymor ar ôl ei benodiad i Bwllheli daeth angen athro celf yn yr ysgol. Gwyddai'r prifathro R.E. Hughes, taid Angharad Tomos, am ddoniau Elis Gwyn yn y maes hwnnw a chynigiodd y swydd iddo. Bu'r penodiad hwnnw yn un dylanwadol iawn ar fyd y celfyddydau yma yng Nghymru a thu hwnt. Y mae erbyn heddiw gryn drigain o gyn-ddisgyblion Elis Gwyn, yn artistiaid a phenseiri a chynllunwyr, sy'n byw wrth eu crefft. Gwelwyd gwaith nifer ohonynt sydd bellach yn enwog yn eu gwahanol feysydd, ynghyd â lluniau gan Elis Gwyn ei hunan mewn arddangosfa a drefnwyd yn Oriel Glyn-y-Weddw, Llanbedrog yn Ebrill-Mai 2002.

Yng nghwrs y blynyddoedd gwelwyd darluniau Elis Gwyn mewn sawl Eisteddfod Genedlaethol ac orielau led-led Cymru. Bu am flynyddoedd yn dywysydd i eisteddfodwyr yn y Babell Gelf a Chrefft ac yn sylwebydd ar raglen *Tocyn Wythnos* y B.B.C. ar yr hyn a welid yn y babell honno.

Ymddangosodd erthyglau o'i waith mewn amrywiol gylchgronau; cyhoeddwyd darlithoedd o'i eiddo, ac ef oedd awdur y gyfrol ar Richard Wilson, yr arlunydd o Benegoes, yng nghyfres Gŵyl Ddewi, Gwasg y Brifysgol.

Ym myd y ddrama, fel cynhyrchydd ac awdur a chyfieithydd, bu'n paratoi ar gyfer y plant yn yr ysgol ar hyd y blynyddoedd ac yr oedd yn un o sefydlwyr Theatr y Gegin yng Nghricieth gyda W.S. Jones, Emyr Humphreys a Wyn Thomas. Ei gyfieithiad ef o 'The Caretaker', Harold Pinter oedd 'Y Gofalwr' a oedd yn un o'r cynhyrchiadau a roes gyfle cynnar i Stewart Jones a Guto Roberts i amlygu eu dawn.

Bu Elis Gwyn farw ym Medi 1999.

Tua Llwydlo

Yr Hydref hwn, i hen dref y Sais am dro, ar un o'm hymweliadau blynyddol â Llwydlo. I rai a fagwyd ar diroedd tenau Eifionydd, nes ein bod, yn ôl D.C. Owen gynt, 'mor fain â'n daear dlawd', nid yw'n rhyfedd fod hiraeth yn codi weithiau am y gororau goludog a'r pridd coch dwfn. Bu'r goror yn rhan o Gymru, a chodwyd beirdd a llenorion Cymraeg mewn ardaloedd sydd i'n golwg ni heddiw yn Seisnig iawn eu gwedd. Gwn am un o'n hardal ni a ufuddhaodd i'r alwad, ac y mae'r arlunydd Gwilym Pritchard erbyn hyn [yn 1976] yn byw ger ysblander du-a-gwyn Weblai. Dyma'r pentref mawr (neu dref fechan) a anfarwolwyd gan Saunders Lewis yn 'Canlyn Arthur', ond oherwydd ei berffeithrwydd y mae'n gartref rhyfedd i arlunydd a dorrodd ddannedd ei gelfyddyd ar glogwyni calch Ynys Môn.

Yn sir Henffordd y mae Weblai, ond yn sir Amwythig y mae Llwydlo, yr harddaf o'r holl drefi yng nghwmpas afonydd Gwy a Hafren. I geidwadwr syml sy'n teimlo'n well pan fydd gwlad yn wlad a thref yn dref mae'n anodd dygymod â'r palmentydd concrid a'r goleuadau jiraffaidd sy'n ymwthio heddiw i bytiau o bentrefi fel Llanystumdwy a'r Ffôr. Mae llefydd fel Llwydlo, sy'n dipyn o faint mewn cymhariaeth, yn medru gwneud yn iawn hebddynt er gwaethaf y traffig trwm. Yn wir, petai'r trefi enwog hyn wedi bod mor barod â ni'r Cymry i neidio am bopeth newydd, ni fyddai dim ar ôl o'r un ohonynt bellach ond lle bu.

Mae yno gastell a godwyd ar erchwyn y graig i gadw'r Cymry draw, ond y mae tai yn ei furiau heddiw, a chymdogion yn ffeirio planhigion i flodeuo rhwng y cerrig. Fel pob castell daeth yn atyniad i ymwelwyr, ond hyd yn oed pan oeddem yno ym mis Awst, nid oedd cymaint o arwyddion fod y dref yn plygu glin i'r pla twristaidd fel y gwneir mor ddefosiynol yng Ngwynedd. Yn nhrefi marchnad Lloegr, croesewir arian ymwelwyr gyda'r un parodrwydd ag mewn unrhyw dref yng Nghymru, eto heb ymroi i ddylanwadau mwyaf arwynebol y teledu masnachol a'r wasg felen. A oes rhywun mor barod â'r gwledydd Celtaidd i sugno ffasiynau hyllaf y foment, mewn dodrefn a dillad ac arferion?

Na, mae gan yr hen drefi Seisnig rywbeth dros ben, sef traddodiad hir o adeiladau trefol ag urddas iddynt, ffrwyth cyfoeth y tir amaethyddol o'u cwmpas. Ffyniant cefn gwlad sy'n creu trefi hardd. Mater arall, yn y ddwy wlad fel ei gilydd, ydi hanes yr adeiladau newydd smart. Dydyn nhw ddim yn hagr, hwyrach, ond mae nhw'n fygythiol a didrugaredd eu gwedd, fel llawer o'r ysgolion a'r canolfannau sirol. Cyn mynd i Lwydlo yr oeddwn yr un diwrnod yn mynd heibio i ysgol Ystrad Tywi yn Nyfed, ffatri 'addysg' a fydd yn hollol gymwys pan dyr gwyll 1984 [a ragwelid gan George Orwell].

Gallech syllu'n hir heb flino ar resi tai cyfeillgar Llwydlo, a mwynhau hefyd ambell lwybr cul rhwng siopau sydd bron mor hen â'r castell ei hun. Cewch droi i siop eiarmongar sy'n dal i werthu croglethi, a hynny heb ichi orfod helpu eich hun oddi ar silffoedd metel maith. Os am ddal pryfaid yn lle cwningod, medrwch brynu papur gludiog hen-ffasiwn heb fuddsoddi mewn potelaid o nwy. Gellwch rodio'r strydoedd neu ymweld â thafarn heb deimlo anesmwyth hoen. Braf gweld llefydd heb fynd yn aberth i garpedi drudfawr, dodrefn plastig a theledu lliw. Bydded i hen dref y Sais barhau.

(Tachwedd 1976)

Sôn am Addysg

Yn ddiweddar [Mawrth 1977] clywsom lawer o sôn am addysg gydag aml gyfeiriad at ryw 'ddadl fawr'. Yn ôl rhai, diben addysg ydyw paratoi dynion i fod yn weision ufudd ac effeithiol i Hotpoint, British Leyland neu I.C.I. ond er gwaethaf yr olwg slic a modern sydd ar y ddadl dros gysylltu ysgol a diwydiant, mewn gwirionedd dyma'r agwedd fwyaf hen-ffasiwn ac adweithiol sy'n bod. Yn y gwraidd, pan fo'r diwydianwyr yn cwyno nad oes digon o baratoi ar weision cymwys i'w ffatrïoedd nhw, maent yn siarad yn yr un ysbryd â'r hen feistri tir torïaidd a gredai fod lle i bopeth ac y dylid cadw pawb yn ei le. Rhan o'r economi oedd addysg i fod, i gynhyrchu gweision a morynion a fyddai'n ffitio'n hwylus ac esmwyth i'r gyfundrefn. Wrth gwrs yr oedd lluoedd ohonom ni'r tlodion yn barod i gynnal y gred a'r gyfundrefn, a thrist yw gweld parodrwydd amryw i ddweud amen wrth gais y meistri newydd, sef y diwydianwyr, i reoli dulliau a dibenion gwaith yr ysgol. Eu stiward amlwg ydyw'r prif weinidog [James Callaghan] a rhai aelodau seneddol yn cefnogi gydag unfrydedd arferol Tori a Llafur ar bob mater o bwys.

Ychwaneger prifathrawon rhai o'r ysgolion torfol, a dyna ail-adrodd hen batrwm y meistr tir, ei stiward a'r tenantiaid cyfoethog yr oedd yn talu iddynt gynnal y drefn. Mae'r cynllwyn i ganoli a rheoli cynnwys addysg yn rhybudd annifyr o agosrwydd 1984. Gwybod mae'r meistri, mae'n debyg, nad ydyw'r ysgolion yn cefnogi'r drefn sydd ohoni mor llwyr ag y buasent hwy'n dymuno. Oni ddysgir ynddynt lenyddiaeth a barddoniaeth a cherddoriaeth a drama, ac onid pethau felly sy'n magu amheuwyr politicaidd ac anffyddwyr y wladwriaeth fawr?

Rhaid i addysg fod yn araf a graddol. Diau y gellir dysgu techneg yn gyflym, a llyncu gwybodaeth heb ei gnoi, ond os mai gwir bwrpas addysg ydyw diwyllio, nid oes unrhyw ystyr iddo os anwybyddir etifeddiaeth ac'amgylchedd. Ar y dydd olaf o Chwefror, yng Ngholeg y Brifysgol ym Mangor, yr oedd cyfarwyddwr amgueddfa'r Victoria & Albert yn darlithio ar ddarlun arbennig gan Nicholas Hilliard, arlunydd swyddogol yn llys Elisabeth y Gyntaf. Caed darlith ysgolheigaidd fanwl ar bwy oedd y dyn sydd yn y llun, ond wrth draddodi'r ddarlith hon (un o'r darlithoedd Rowland Hughes gyda llaw) yng Ngwynedd, prin y disgwylid i'r gŵr dysgedig oleuo'i sylwadau gydag unrhyw gyfeiriad at Gymru.

Gwerth y safbwynt Cymreig ydyw ei fod yn ychwanegiad at yr holl wybodaeth sydd eisoes ar gael o fannau eraill, ac yng nghyswllt y ddarlith hon yr un i'w goffáu ydyw Richard Huws o Gefn Llanfair yn Llŷn. Mae barddoniaeth Richard Huws yn cyd-redeg ag arlunwaith Hilliard, a gwenodd Elisabeth ar y ddau, gan benodi Richard yntau'n *equerry* yn y llys. Cafodd y ddau ffefryn ymdroi yn yr un cylchoedd breintiedig a lliwgar yn Llundain ac yn Ffrainc, ond ni lwyddwyd i droi pen Dic Huws, a oedd, yn ôl Myrddin Fardd, 'yn casáu y Saeson o lwyrfryd calon'. Gwyddom hefyd iddo barhau i sgrifennu barddoniaeth Gymraeg ar hyd ei oes, ac erys ei waith yn ddifyr a darllenadwy hyd heddiw.

(Mawrth 1977)

Gwarchod y Glannau

Lle gwlyb iawn oedd Gardd Eden, yn ôl y gwyddonwyr, ac yn y môr, nid yn y coed fel y credid gynt, y mae ein hen gartref meddant hwy. Dim rhyfedd felly mai gardd ar lan y môr, y patio a'r petunia mewn tywod, sy'n rhoi'r syniad mwyaf poblogaidd o'r nefoedd, a'r uchaf ei bris hefyd. Ar hyn o bryd mae'r peiriannau wrthi'n trwsio'r glannau tua Harbwr Rhys ar dir Ty'n Morfa, lle mae'r tonnau bob gaea'n bygwth creu ynys hirgul newydd rhwng afon Dwyfor a bae Ceredigion, ac yn ein hatgoffa nad annherfynol na digyfnewid mo'r glannau a'r traethau i gyd!

Pan feddyliwn am yr Iseldiroedd a'u herwau meithion wedi eu hadfer o'r môr, darluniwn rywle dieithr a phell, heb gofio ein bod ninnau yn y fro hon yn troedio gwaelod cantref bron bob dydd. Ni chawsem Borthmadog, heb forglawdd Madog, na gwaelodion poblog Pwllheli, heb ei gobiau yntau. Gwnaed muriau rhag y môr yn y Bermo, ac effeithiodd hynny, meddir, ar draethau Cricieth a'r Ynysgain Fawr. Dibynnodd ffordd haearn y Cambrian ar dunelli o gerrig i gadw'r tonnau rhagddi yn Llwyngwril ac Afonwen. Cyfnewidiol ydyw'r glannau, a byddai stormydd mawr a phwysau'r llanw'n cyd-fynd yn ddigon, efallai, i rwygo trwy Borth Neigwl, a gwahanu Pen Llŷn i ffurfio ynys fawr arall.

Mae'r gwaith o amddiffyn ar yr arfordir yn fater o fywyd i bawb, ac yn llawer rhy ddi-sôn amdano. Yr hyn sy'n tynnu sylw, ac yn meddiannu'r newyddion, ydyw gwanc Amoco-Conoco-Texaco-Shell i gael olew o'r dyfnderoedd. Methodd arbrofion Shell yn y 'Môr Celtaidd', yn ôl rhyw newyddion neithiwr, ac ar yr un gwynt soniwyd am fwriad cwmni Ford i godi ffatri enfawr ym Morgannwg. Gwaetha'r modd fedrwn ni ddim cynhyrchu bwyd mwyach heb gymorth olew, ond o dderbyn y ffaith economaidd, prin fod gwario miliynau ar godi olew a miliynau wedyn ar godi ffatri i adeiladu ceir i losgi'r olew hwnnw yn gwneud unrhyw fath o synnwyr. Bob blwyddyn, collir miloedd o erwau o dir da ym Mhrydain dan loriau ffatrïoedd a sylfeini ffyrdd newydd, gan ddadwneud yn effeithiol yr holl waith costus a chaled o gadw neu ennill tir rhag ei fwyta gan y môr.

Dameg, yn y pen draw, ydyw stori Cantre'r Gwaelod a phob chwedl debyg iddi, os gwir y ddadl wyddonol mai yn y môr y dechreuodd dyn. Y gwrthwyneb i Seithenyn oedd Alexander Madocks a'i debyg, ond pan aeth ei deyrnas o'r golwg dan y dŵr, ymsefydlodd tylwyth Seithenyn ar y tir mawr, a thyfu'n seithwaith saith miliwn. Felly, er ein bod yn graddol ddysgu sut i ddod i delerau efo'r môr, mae hil Seithenyn heb ddeffro i sylweddoli beth sy'n digwydd i'r tir sych.

(Medi 1977)

Eisteddfod y Stêm

Mae'r ffyrdd yn orlawn ar ddydd gŵyl banc diwedd Awst. A pham gŵyl <u>y banc</u>, o bob cabledd? Gwledydd Ewrop yn cadw gwyliau'r saint, yn weddol lawen a phobl Prydain yn treulio'r ŵyl yn methu mynd trwy Gonwy neu Gaerfyrddin [yn 1977] neu'n troedio palmentydd trist (yr un fath â'r rhai yn eu trefi hwy eu hunain), a'u trwynau ar ffenestri siopau sy'n cynnwys yr un crysau a'r un setiau teledu ag a welir ym mhob siop o Limerick i Lanrwst.

Os daeth Lloegr yma, mi awn ninnau i Loegr – trwy Drefaldwyn. Castell a sgwâr yr hen dref fechan fel breuddwyd ar y bryn. Mynd dros (neu drwy) Glawdd Offa. Doldir o'n blaenau, a channoedd o geir wedi eu parcio. Eisiau mynd i weld y sioe? Oes pendant.

Hon oedd eisteddfod yr injan stêm yn Bishop's Castle. Organ stêm yn canu dros y clawdd. Pa well canu mewn cae? Talu'r doll i ddyn a chanddo duniad o Long Life yn un llaw ac olwyn o dicedi yn y llall.

I mewn yn syfrdan i'r cae. Nid un organ sydd yma, ond

pump. Eisiau dawnsio, braidd. Dyn wrth ymyl organ-stryd o'r Iseldiroedd wedi ymgolli yn y gwrando, ei recordydd ar y gwellt wrth ei draed a'r meicroffon wedi ei lapio'n ofalus mewn ewyn-rwber. Symud at organ arall, sy'n canu rhywbeth gwahanol, ond dydi'r organau ddim yn amharu ar ei gilydd. Sŵn cryno sydd ganddyn nhw, miwsig siriol melys. Dim un nodyn yma o'r canu pop o domen y diawl.

A dyma'r cyffylau-bach ffair mwyaf ysblennydd a welais erioed. Yr injan stêm wreiddiol yn y canol, nid modur trydan. Holl baraffernalia'r pres a'r efydd a'r drychau, a'r goleuadau rif y gwlith. Hyd yn oed y dynion a'r merched pren sy'n cadw amser wedi cael paent newydd sbon. Y llygad a'r glust a'r ffroen yn ein tynnu at beiriannau tynnu'r sioe, pinacl crefft a chelfyddyd adeiladwyr llestri stêm y ffordd fawr. Un fel hyn fyddai gan T. Teago yn ffair Cricieth, ond yma cawn borthi'r synhwyrau efo hanner dwsin. Mae nhw'n anadlu'n esmwyth ac yn crynu'r mymryn lleiaf wrth gynhyrchu trydan i'r maes. Tadau ifanc yn eu dangos yn edmygus i'w plant. Gwynfyd. Os oes yma gystadlu ac ennill a cholli, fydd neb yn sgrifennu llythyrau brathog i'r wasg wedi dyfarniadau'r eisteddfod hon.

Er ei bod hi'n gynnyrch diwydiant ar ei drymaf, arwydd o fywyd gwledig oedd yr injan stêm, o'r peiriant dyrnu – ac y mae yma un o'r rheini, yn edrych yn werinol iawn yng nghanol yr ysblander – i'r peiriant ffair. Enwau trefi marchnad o ddwyrain a chanolbarth Lloegr sydd i'w gweld ar lawer o'r peiriannau yng Nghastell yr Esgob. Heddiw mae eu hedmygwyr a'u dilynwyr yn lleng, ac er nad oes gennyf mo'r amser na'r arian i fod ymhlith addolwyr yr injan stêm, am wn i na wnawn i ryw fath o wrandäwr ar ymylon y frawdoliaeth. Aelod gohebol efallai. Ond diwrnod o ŵyl oedd hwn, ac y mae dynion, yn y pen draw, yn mynnu cael rhywbeth i'w addoli ar ddydd gŵyl, hyd yn oed ar ddydd gŵyl y banc.

(Hydref 1977)

19

Tymhorau

Dechrau Tachwedd, neu galan gaeaf, a'r glaw, o'r diwedd, o'r gorllewin fel y dylai fod. Rhagolygon y tywydd yn addo tymheredd normal, beth bynnag ydi hynny. Ond o leiaf mae rhywun yn <u>deall</u> gwynt y gorllewin. Gwynt dieithr y gogledd ar bob tywydd sy'n codi ofn, heb sôn am yr hen elyn annynol o'r de-ddwyrain.

'Does dim modd peidio â meddwl nad ydi'r tymhorau wedi newid rhywsut. 'Mae hwn,' meddai pobol am ddiwrnod braf ddeugain mlynedd yn ôl, 'fel haf erstalwm'. A ninnau'n teimlo'n euog ein bod ni wedi gwneud rhyw ddrwg i haeddu hafau salach nag a fodolai dan yr hen drefn.

Erbyn inni gyrraedd oedran pan gaem ninnau sôn am hen hafau yr oedd adnod rybuddiol arall i'w chlywed – 'Gawn ni dalu am hyn, gewch chi weld'.

Heddiw yr oedd y brain uwchben y coed ar y ffordd rhwng eglwys Llanarmon a'r Plas Du yn medru hofran yn llonydd yn nannedd y gwynt, ac yn ei fwynhau, mi daerwn i.

Ond eto dydi'r tymhorau ddim wedi eu gwahanu'n glir. Mae yma ffrwythau fflamgoch ar un gelynnen a blodau gwynion ar y llall, blagur newydd ers mis ar goed a blannwyd eleni, ambell rosyn ar fin agor a blodau jasmin y gaeaf yn felyn ar eu brigau – a hyn oll ar yr un pryd.

Gyda'r fath gymysgedd, mae unrhyw beth yn bosibl, hyd yn oed syniadau'r awduron lled-wyddonol hynny sy'n mynnu bod hen bellen y ddaear yn wag o'r tu mewn, ac mai oddi yno, cartref creaduriaid dynol tebyg i ni, y daw pob drwg.

Mewn geiriau eraill, yr hen Annwfn, a phetai'r awduron o Americaniaid ac ati wedi cael gafael ar y gair hwnnw mi fyddent wrth eu bodd ei gael i gadarnhau eu cred, gan fod Annwfn yn air perffaith i grynhoi'r pictiwr sydd ganddynt o fyd arall yng nghrombil y ddaear hon.

Yn ôl y ddamcaniaeth, nid oes mo'r fath beth â Phegwn y Gogledd; dim ond gwagle aruthrol yn fynedfa i'r tan-ddaearolion leoedd. Oddi yno, wrth reswm, ac nid o'r gofod, y daw pob padell-fflïo sy'n cyffroi chwilfrydedd pawb. A chyda llaw, sut mae esbonio poblogrwydd anhygoel llyfrau Tolkien ar yr is-deyrnasoedd?

Efallai fod y duwiau'n llefaru ar ddamhegion neu nad oes yma ddim rhagor na'r hen ysfa am fod o dan y bwrdd, dan y dillad, mewn pabell neu unman ond iddo fod o'r golwg.

Bellach mi welaf mai dychymyg oedd y llun coch a du yn y seiclopidia, ac nad coelcerth sydd yng nghraidd y ddaear, ond daear arall. A chan fod Llyfr Du Caerfyrddin a Llyfr y Datguddiad ill dau wedi rhagweld y cyfan, pa ryfedd mai gweinidog gydag enw Cymreig a fu'n gyfrifol am ledaenu enwogrwydd Dan Dare a'r Mekon yn 'Eagle', y comic proffwydol i blant.

Newid neu beidio, mi rown i lawer am wybod pam na fyddaf byth yn gweld nythod adar rŵan, ar wahân i ambell nyth gwag.

(Tachwedd 1977)

Byd Clough

'Brenin na frenin' meddai'r hen ymadrodd cywrain a chryno yn un o'r chwedlau Cymreig, ac fe ellid cymhwyso'r dywediad yn ddigon teg, mewn un ystyr, at y diweddar Clough Williams Ellis, a fu farw'r mis hwn [Ebrill 1978] o fewn chwe blynedd i'w gant oed. Un o deulu Glasfryn ydoedd, ac er bod Cybi wedi ceisio corlannu'r tad i fod yn un o wŷr Eifionydd trwy ei gynnwys yn ei gyfrol 'Beirdd Gwerin Eifion a'u Gwaith', gan ei fod yn barddoni tipyn yn Saesneg, ni fedrai'r mab ddarllen y gyfrol, na deall gwaith beirdd y fro. Y mae'r dadfreinio hyn yn parhau, wrth gwrs, fel bod degau o bobl ifanc a fagwyd yn y dref nesaf i'r Glasfryn [Pwllheli] heb unrhyw ddiddordeb yn yr iaith, a degau o blant yn siarad dim arni ond gyda'u hathrawon yn yr ysgol. Y rhod wedi troi, yn ddidostur.

Pan aned Clough, nid oedd neb yn disgwyl i'r boneddigion fedru Cymraeg yn y fro Gymreig, a nifer bychan iawn o'r gwŷr breiniol a lwyddodd i orchfygu ffeithiau hanes. Ar y llaw arall, y mae pawb ohonom yn dewis dilyn neu wrthod dilyn rhannau o'n llwybrau hanesyddol yn ôl ein mympwy ein hunain. Dewisodd ef ymateb i'w anian a'i athrylith ei hun, a chymryd, o fyd hanes, bethau gweledig yn bennaf. Credai mai i'r ddeunawfed ganrif yr oedd yn perthyn, a phan oedd yn hogyn gallasai'n hawdd fod wedi ysgwyd llaw gyda hynafgwyr a aned cyn diwedd y ganrif honno.

'Trech anian nag addysg', bob tro, a dywedai yntau gydag ymffrost llawen mai tymor prin yn unig o goleg pensaer a gafodd. Tyfodd yn awdur huawdl, yn bamffletîr dros gadwraeth, ac yn lladmerydd ynys unig o gynllunio rhwng ysbrydoliaeth fonheddig y ddeunawfed a deddfwriaeth oleuedig yr ugeinfed ganrif. Rhoes ei bersonoliaeth ym Mhortmeirion, lluniodd ardd fel Gofuned Goronwy Owen ym Mrondanw, ac ail-gododd y tŷ hynaws hwnnw wedi'r tân dinistriol yn y pumdegau. Daeth yn adnabyddus drwy'r byd, a gadawodd adeiladau i'w gofio yn Eifionydd, ym Mhentrefelin a Llanystumdwy er enghraifft. Nid oedd ei galon ym mhopeth a wnâi, chwaith, ac ar rai adegau nid oes mwy nag arlliw o'i arddull i'w weld yn y gwaith, fel yn adeilad y Co-op yn nhref Pwllheli. Pan fedrai ddefnyddio llechfaen a charreg y fro, yr oedd ar ei orau.

Tirlun lliwgar oedd ei ddarlun ef o Gymru, er nad oedd yn hollol gyson, ac yr oedd o blaid sefydlu gwersyll Butlin. Er hynny, yr oedd yn ddyn angenrheidiol, a byddai'n dda gweld mwy o'i chwaeth a'i awen mewn tai a godir heddiw. Diau bod modd bod yn bensaer heb addysg broffesiynol, ond go brin y megir gwir benseiri heb addysg yn hanes llenyddiaeth eu gwlad eu hun.

(Ebrill 1978)

Rhegi'n Llwyddiannus

Cael fy hunan ar nos Sadwrn yn edrych a gwrando ar ddau ddigrifwr o Loegr ar y teledu. Nid oes ganddynt dalentau disglair, ond y mae'n amlwg wrth y tonnau o chwerthin eu bod wrth fodd eu cynulleidfa. Y mae llawer o'u deunydd yn anhygoel o blentynnaidd a di-ddim, a phe ceid eu tebyg yn perfformio yn Gymraeg, byddai rhai yn condemnio teledu Cymraeg o'r brig i'r bôn ac yn galw am ddefnydd rhaglenni o festri'r capel. Eto, y mae'r ddau hyn wedi dringo'r ysgol yn Lloegr ac yn tynnu gwylwyr a gwrandawyr wrth y miloedd.

Y mae cynulleidfa 'fyw' yn help hanfodol i ddigrifwch llwyddiannus ar y bocs. Er enghraifft, recordiwyd 'Glas y Dorlan' yn stiwdio Pebble Mill, efo llond dwrn o Gymry mewn cynulleidfa gymysg yn bresennol, a'r mwyafrif heb ddeall yr un gair. Dan amodau felly y mae'r perfformiad yn tueddu i oeri ac arafu, a phan fydd y gwylwyr gartref yn clywed rhyw fath o ymateb cynulleidfa, nid teledu sy'n digwydd ond rhywbeth tebycach i gyflwyniad mewn theatr, lle mae'r gynulleidfa'n rheoli perfformiad i raddau pell iawn.

Y noson o'r blaen yn Theatr Ardudwy, yr oedd cynulliad parchus dros ben yn mwynhau drama Gwenlyn Parry, 'Y Tŵr'. Fel yn y seiat gynt, merched oedd y nifer mwyaf o ddigon, llond bysus o Ferched y Wawr, ac yn eu plith gefnogwyr Llais Ardudwy, a'u pentyrrau o'r rhifyn diweddaraf o'r papur bro ar eu gliniau, yn barod i'w ddosbarthu cyn i'r inc sychu ar y tudalennau. Cynulleidfa hollol eisteddfodol a Chymreig, a deallus. Clywais ganmol hyd yn oed ar y goleuadau, pwynt go newydd yn y ddrama Gymraeg. Erbyn meddwl, nid pobol yn gweld drama Gymraeg oedd yno, ond Cymry yn gweld drama.

Meddai'r gŵr ar ddiwedd un o'r golygfeydd ar y llwyfan: 'Mae hi'n hwyr', ac meddai'r wraig, 'Yn hwyr uffernol'. Llefarwyd hyn gan Maureen Rhys gyda gorfoledd miniog, gan brofi bod yn rhaid medru'r iaith yn drwyadl er mwyn rhegi'n llwyddiannus ynddi. I ran John Ogwen y daeth y rhan fwyaf o'r rhegfeydd, ac yr oedd yntau'n eu trin fel miwsig. Ni chlywais neb yn y dyrfa yn tynnu ei wynt – na'i gwynt – ato neu ati.

Wrth wylio'r ymateb, cofiwn am yr hen ddramâu pentrefol lle gwelid bai ar actor am agor Beibl ar y llwyfan, a sôn am wythnosau am un ddrama am fod rhywun ynddi wedi rhoi sosban ar y bwrdd. Derbynnid llofruddiaeth, neu hyd yn oed grogi fel yn nrama Gwilym R. Jones. Digwyddiadau allanol oedd y rheini, ond y mân bechodau oedd yn troseddu, rhoi'r sosban ar y bwrdd.

Syniad arall wrth weld y digrifwyr Seisnig hynny ar y bocs. Dibynnai un o'u golygfeydd ar un ohonynt yn trio darllen rhannau o ddramâu Shakespeare, a'r llall yn ei rwystro, ac yr oedd y chwerthin fel storm yn y stiwdio. Teimlwn yn eiddigeddus. Dyma Shakespeare yn eiddo ac yn feddiant cyffredin heb angen esbonio dim, ac yn foddion difyrrwch yn Saesneg mor rhwydd â chyfeiriad at hwch fagu neu fastard mul yn Gymraeg. Yr unig beth sydd gennym yn cyfateb i hyn ydyw'r parodïau ar adnodau ac emynau, ac y mae'r Bardd Cocos yn cael ei big i mewn ambell dro. Tybed a welwn ni, ar y bedwaredd sianel, lond stiwdio'n rowlio chwerthin wrth glywed cyfeiriad ysmala at y Mabinogion neu'r Bardd Cwsg? Dowch ymlaen, os gwelwch chi'n dda, i roi'r sosban ar y bwrdd.

(Hydref 1978)

Siopau Llyfrau

Pan aeth un o'm cymdogion i siop mewn tref ym Meirionydd i holi am lyfr diweddaraf Trevor Fishlock, gofynnwyd iddo ai am lyfr ar bysgota yr oedd yn holi. Gofynnais innau mewn siop sgidia am fath o esgid i blant a hysbysebir hyd syrffed ym mhob dim printiedig, ond edrychodd y tair siopwraig arnaf fel petawn wedi awgrymu rhywbeth anweddus, cyn pwyllgora â'i gilydd mewn sibrydion i gael pleidlais mwyafrif, a'r cyfan a gefais oedd ysgwyd pen dwys a therfynol.

Nid bod neb yn disgwyl i siop gadw popeth, ond rywsut mae dyn yn dal i ddiniwed obeithio y dylai'r siopwr wybod mwy na neb arall am y math o nwyddau sydd ganddo ar werth.

Byddai un llyfrwerthwr o Sais yng Nghricieth yn darllen pob llyfr cyn ei roi ar y silffoedd, er mwyn medru siarad am gynnwys pob un cyn i'r cwsmer fentro rhoi chwecheiniog neu swllt amdano, gan mai dyna oedd pris Penguin da yn y dyddiau goleuedig cyn dechrau rhoi ffotograffau gwirion ar bob clawr. Heddiw mae gormod o lyfrau ar y farchnad i neb wybod am gynnwys pob un, ond eto, petai ond trwy gyfrwng y ffotograffau felltith sydd ar eu cloriau, mi ddylai'r siopwr fod â rhyw syniad beth sy'n dod i'w siop yn un llwyth digalon a dienaid o ryw warws yn rhywle.

Mae'n debyg mai un o'r arwyddion amlycaf fod pawb yn medru darllen a neb yn medru deall ydi'r ffordd y gwerthir y llyfrau clawr papur mewn siop fferis, garej a siop cemist, heb sôn am y siopau cymysg sy'n gwerthu popeth.

Fynnwn i ddim awgrymu gwaharddiadau ynglŷn â gwerthu llenyddiaeth, ond pwy sy'n mynd i ddiffinio llenyddiaeth? Clywais un diffiniad anfwriadol mewn siop bentref pan ofynnai R.R. am 'One Sunday Times and two of those things with pictures', ac nid y Sunday Times na'r Observer a olygai efo'r 'pethau efo lluniau' . . . Mater o chwaeth, fel y dylai pob perchen papur wybod, ac fel y dywedodd William Rees-Mogg, golygydd y Times: 'Haws gwerthu merched noethion i filiynau na gwerthu rheswm i filoedd'. Mae'n naturiol gweld llyfrau a recordiau Cymraeg yn yr un siopau erbyn hyn, a'r datblygiad diweddaraf ydi twf y siopau Cymraeg yn America. Dywedodd Dafydd Iwan wrthyf neithiwr [yn Rhagfyr 1978] fod cwmni Sain yn derbyn mwy a mwy o archebion o New York a dinasoedd eraill, a bod 'siopau Cymraeg' yno'n codi o'r newydd o hyd, un ohonynt dan yr enw 'Y Llwy Bren'.

Wir, yr oedd hi'n hen bryd i Gymru dderbyn rhywbeth o'r America ar ôl anfon ei phobl wrth y miloedd yno i'w troi'n Americanwyr. Os oes yno ddigon o Gymry sy'n deall sut le sydd yng Nghymru heddiw, a'r cof hanesyddol am eu gwreiddiau yn dechrau dadebru fel y mae grym ofnadwy eu hanner cyfandir yn mynd i lawr yr allt, efallai y bydd yno ddadeni, a chefnogaeth annisgwyl i bethau Cymreig. Mae Cymru bob amser yn chwilio am ddrych i weld ei hwyneb ynddo. Siawns na fydd hi'n falch o weld ei llun yn y drych Americanaidd newydd.

(Rhagfyr 1978)

Tro i'r dre

Yn y dre cyn naw, cyn i'r siopau agor. Lle anghyfarwydd iawn. Na, mae rhai siopau wedi agor hefyd. Talu bil yn y lle a gyfenwir Manweb, a chael awgrym caredig i beidio â galw yno eto cyn naw. Ysu i dalu chwaneg o filiau. Swyddfa'r dreth amdani. Mae'r drws allan yn agored, ond wrth ochor y caets talu wele rybudd amlwg yn cyhoeddi mai hanner awr wedi naw mae'r busnes yn dechrau. Taro ar siopwr rhadlon ar y stryd, ac egluro mai lladd amser yr wyf nes i'r banciau agor. 'Dowch i mewn i'r siop. Wertha i siwt i chi ar un waith.'

Derbyniais y croeso, ond yr oedd yn rhaid brysio i ychwanegu nad oeddwn yn ddyn siwtiau, a chan fy mod wedi fy nghyflyru bellach i feddwl mai'r siopwr y dylid ei blesio ac nid y cwsmer, crybwyllais y byddai trowsus, hwyrach, yn beth defnyddiol. 'Digon o ddewis i fyny'r grisiau.' Wel nagoedd, rywsut. Ar bob trowsus ar y rheselydd yr oedd sgwariau neu linellau croes-ymgroes fel trowsus clown. 'Pob un yn rhy fawr prun bynnag' meddwn yn fy amddiffyniad. Chwipiwyd llinyn mesur am fy nghanol, a syllodd y siopwr yn syn. 'Tots to Teens Youths' oedd ei unig sylw, gan daflu'r achos allan.

Fel gyda phob siopwr da, symudodd y sgwrs at bethau eraill, ac yntau'n sôn fel yr oedd wedi gwerthu cyfrol gyfan o'r Ford Gron am wyth bunt. Ac fel y bydd llawer yn gwneud, cyfeiriodd at luniau sydd ganddo yn y tŷ, er na chofiai enw'r awdur, ond mai Jones ydoedd, a bod lluniau

Diolch am fod mor driw i Dad;
byddai'n mwynhau'ch cwmniaeth,
ac yn gwerthfawrogi eich
ymweliadau.
Diolch yn arbennig am wasanaethu
yn ei angladd.

Ella

Carwyn, Fford Pentraeth, Porthaethwy, Ynys Môn LL59 5LY

gan yr un paentiwr yn neuadd y sir yng Nghaernarfon.

S. Maurice Jones? cynigiais, a chytunodd yntau ar unwaith mai dyna'r enw. Gyrrwyd finnau'n ôl hanner canrif i'r amser pan ddarllenwn Cartrefi Cymru, O.M. Edwards, llyfr a gafodd, erbyn sylweddoli heddiw, fwy o ddylanwad arnaf na dim arall a ddarllenais yn Gymraeg. Argraffiad gwreiddiol 1896 sydd gennyf, a'r un llythyren sydd yn y penawdau ag a geir ym mhrif bennawd Y Cymro yn ein dyddiau ni. Ac yr oedd swyn arbennig i ddarluniau S. Maurice Jones yn y llyfr.

Yn ei luniau pin ac inc o rai o'r 'Cartrefi', megis y Tŷ Coch, Cefn Brith, Trefeca, a'r fynedfa at Bant y Celyn, creodd yr arlunydd fydoedd bychain clyd y gellir mynd i mewn iddynt a byw eu breuddwyd. Gwnaeth lawer o waith i'r 'Cymru Coch' o tua'r ail gyfrol ymlaen, ond ni wnaeth ddim rhagorach na'r lluniau du-a-gwyn cynnar.

Credai O.M. Edwards yn gryf mewn darluniau, ac mae'n rhyfeddod iddo ddefnyddio ffotograffiaeth fel y gwnaeth dros bedwar ugain mlynedd yn ôl i atgynhyrchu gwaith dyfrlliw ac olew yn y cylchgrawn ac yng Nghyfres y Fil. Wrth gyfeirio yn 1899 at ei fwriad i gyhoeddi Gwaith Glasynys, a ddaethai allan gyntaf yn ddau rifyn o'r Llenor, a'r elw i fod tuag at roi carreg ar fedd Glasynys, gwelir mor barod oedd i wario ar argraffu lluniau: 'Cefais oddi wrth y ddau rifyn £16.15s.6d; ond y mae arnaf ofn fod y darluniau wedi costio ychwaneg, ac na ddaw dim oddi wrth y rhifynnau at y garreg'.

Tybed a fydd rhywun yn darllen ein cylchgronau ni ymhen saith mlynedd a phedwar ugain? Mae trysorau dihysbydd yn hen gyfrolau 'Cymru', ac wrth droi rŵan i weld llun Maurice Jones o Gefn Brith yn rhifyn Mawrth 1892, ar y tudalen gyferbyn dyma foliant Henry Hughes, Bryncir, i Love Jones Parry: 'Efe a fu yn foddion i dorri asgwrn cefn Torïaeth yn y sir. Ni sythodd byth ar ôl hynny'.

I'r fan yna y cyrhaeddais ar ôl mynd yn rhy fore i'r dref.

(Hydref 1979)

Gwedd a Golwg

Ar strydoedd Wrecsam ar ryw brynhawn glawog, cofiais am yr hen ddywediad ystrydebol, 'gweld wynebau gwahanol'. Wrth gwrs mae rhywun yn tueddu i grynhoi a chyffredinoli gormod yn wyneb pob dieithrwch, ond mae hynny'n fwy diddorol na gor-gynefino a methu gweld y coed gan brennau.

Dieithrwch sydd wrth wraidd rhai o'r pethau a sgrifennir am Gymru. Pan ddechreuwyd dangos yr Eisteddfod ar deledu, credai un gohebydd o Lundain ein bod yn edrych fel Hwngariaid, a thybiai gohebydd arall wrth roi ei droed ar blatfform stesion Cricieth ei fod wedi cyrraedd Iwgoslafia.

Mae'n fwy na mater o wynebau. Yn yr ysgol sir erstalwm, edrychai plant pob ysgol arall yn debycach (yn ein golwg ni) i blant ysgol sir go iawn. Mae'r gwahaniaethau'n mynd yn brinnach bob dydd, ond eto mi ddaliaf fod y fath beth â 'golwg Caernarfon', a golwg Porthmadog a golwg Pwllheli hefyd. Am Fangor, nagoes, oherwydd cymysgu cymaint ar y boblogaeth erbyn hyn.

Pan welais bobl Dulyn am y tro cyntaf, yr hyn a'm trawodd oedd eu cerddediad talsyth, hyderus. Hyd yn ddiweddar, wedyn, byddai gwedd ddieithr iawn ar strydoedd Pwllheli ddiwrnod ffair bentymor, pan welid dynion a merched na ddeuent i'r golwg ond ar ddiwrnod ffair.

Er ichi fyw yn eu canol, mae rhai teipiau'n ddigon nodedig i dynnu sylw. Y bobl dywyll, dduwallt, a geir mewn rhai ardaloedd yn Llŷn, er enghraifft, a'u gwallt mor ddu nes ei fod bron yn las. O wlad y Basgiaid y daethant, meddai rhai, ond mae'n siwr mai hwy eu hunain fyddai'r rhai olaf i sylwi ar eu harbenigrwydd.

Parhaodd y cyffredinoli ar oed a safle deuluol yn hwy yn y ddrama hen-ffasiwn, pan oedd raid i taid fod yn ei gornel ac wrth ei ffon. Ar y llwyfan hwnnw, gwisgai nain siôl wlanen a sbectol-nain, er iddi hi (y nain) yrru i'r perfformiad mewn Volvo ac mewn sbectol-haul.

(Tachwedd 1979)

Blaenlythrennau

Byddai'r gof yn mynd trwy ddau baced deg o Gold Flake bob dydd, a finnau, ran amlaf, fyddai'n rhedeg i fyny'r bont i'w prynu fesul un. Felly y deuthum yn gasglwr cardiau sigarets ac yn gynefin ag enwau'r gwneuthurwyr ar y pacedi – W.D. & H.O. Wills. A heddiw, wrth agor fy owns baco, darllenaf i Benson, a Hedges hefyd, fod yn bersonau rywdro – Mr Richard Benson a Mr William Hedges.

Ers talwm, byddai enwau perchnogion cwmnïau masnachol mawr yn swnio'n bersonol ac agos-atoch. Yr oedd Henry Ford gynt mor enwog â Henry Kissinger heddiw, a William Morris a Herbert Austin yn taro rhywun fel dynion yn hytrach nag fel cwmnïau. Erbyn hyn, beth a olygir gan Leyland, a beth yn wir gan yr anhygar B.L.?

Pan fyddai eisiau neges go helaeth, fel pan âi dynes y siop i'r cefn i lenwi'r tun paraffin, byddai amser i astudio'r enwau urddasol ar y bocsus biscedi: Huntley & Palmer, McVitie & Price, Peek Frean, Carr, Crawford a'r soniarus McFarlane Lang, Albanwyr solet lawer ohonynt, a dynion trymion bob un.

Gallech gredu yn yr enwau. Yr oedd Isaac Nash ei hun yn amlwg yn medru trin cryman, ac er bod ias o ddieithrwch yn y Deering ar y peiriant lladd gwair, hawdd oedd derbyn clydwch cartrefol y Jones ar yr injan wnïo. Ac am Ruston Hornsby, dyna daran o enw teilwng o'i gewri o lythrennau ar ben dyrnwr. Wedyn bu David Brown yn cenhadu ar ran cyfnod y tractor.

Mae W.D. a H.O. yn edrych fel enwau dynion a ddylai fod yn byw yn Eifionydd. Ni fedrai W.D. fod yn ddim ond Wiliam Defi, na H.O. yn ddim ond Huw Owen, enwau digon synhwyrol i haeddu eu peintio ar flaen trol. Bu raid inni arfer efo busnes y blaenlythrennau, ond arferiad Seisnig iawn ydyw, er iddynt hwy ei ddysgu gan y Rhufeiniaid.

Ar eu mwyaf estron, saif y llythrennau ar eu pennau eu hunain, gan ddisodli'r enwau. B.B.C. ac I.T.V. er enghraifft, a'r Harlech yn H.T.V. wedi mynd bron i ebargofiant. Dyna wrth gwrs oedd y bwriad, gan fod cadw at flaenlythrennau'n troi enw meidrol yn arwydd, ac yn awgrymu awdurdod swyddogol. Mae'n gweithio o safbwynt llywodraeth ac o safbwynt y Saesneg, fel ei bod yn haws dweud N.F.U. nag U.A.C., ond yn Gymraeg mae'n rhwyddach dweud yr enw na'r byrfoddau, – Undeb Amaethwyr Cymru a Chymdeithas yr Iaith. Eithriad yw'r athrawon gydag U.C.A.C.

Braidd yn ddigri erioed a fu M.C. ar ôl enw capel, neu B.A. B.D. ar ôl enw dyn o ran hynny. O'r Guardian ddoe, dyma esiamplau eithafol:

N.E.R.C. was there, with
F.I.T.B., C.E.S., D.C., S.S.R.C., and

Yng Nghymru yn unig, hyd y gwn, yr impiwyd yr arfer ar enwau lleoedd: Llanfihangel G.M. neu Lanfair P.G.

Pan ddysgais ddarllen gyda chymorth y pacedi Gold Flake, yr hyn a lefarwn yn fy meddwl oedd Wdaho Wuls (Idaho fyddai'r ffurf fenywaidd). Yr oedd enw yn enw o hyd. Wrth lwc, 'does neb eto wedi sgrifennu B. Tirion, T. Deucwm, neu T. Llan.

(Rhagfyr 1979)

Bydoedd Gwahanol

Trwy garedigrwydd cyfaill sydd yn llyfrgellydd ysgol, cefais fenthyg llyfr go anghyffredin i'w ddarllen y mis hwn. Y mae'r llyfr yn anghyffredin am fod yr awdur, ag yntau'n Sais, yn ddilynydd crefydd Islam. Nid wyf yn bwriadu hysbysebu'r llyfr na'i adolygu chwaith, ond petawn yn rhydd-gyfieithu'r teitl mi ddewiswn y geiriau Ceiliog Pen y Domen. 'Y mae yn eich ysgwyd,' chwedl un o ffermwyr Eifionydd am lyfr a ddarllenodd. Cymryd sefyllfa dyn ar y ddaear y mae, dyn sy'n edrych arno'i hun yn feistr ar ei ffawd, yn dipyn o geiliog, ond yn gaethwas digon salw mewn gwirionedd.

Ysgrifennwyd nifer o lyfrau i'n rhybuddio rhag peryglon gwaethaf gwyddoniaeth a thechnoleg, ond bu tywysogion y byd hwn, trwy gyfrwng papurau newyddion a theledu ac ati, yn ddigon cyfrwys i ledaenu'r gred mai rhamant ddi-sylwedd ydyw popeth sy'n cynnig mynd yn groes i dechnoleg. Trwy'r ysgolion hefyd, gwthir damcaniaethau gwyddoniaeth gyfoes i mewn i bennau plant fel petai'r ddamcaniaeth yn wirionedd tragwyddol. Un arall o'r gwyrdroadau addysgol fu'r gred mewn 'cynnydd' parhaus, yr awgrym ein bod ni heddiw wedi cyrraedd i'r goleuni ar ôl yr oesoedd canol ofergoelus, yr oesoedd tywyll fel pennod o'u blaen, ac oes yr arth a'r blaidd. Gwedd arall ar y math hwn o feddwl oedd cenhadaeth y Beibl a'r bwled, y dyn gwyn yn cymryd arno rannu bendithion ei wareiddiad i rai llai ffodus nag ef ei hun.

Un o wersi dramatig y llyfr ydyw mai dynion da, yn aml iawn, sy'n gwneud mwyaf o ddrwg. Maent yn dda am fod ganddynt barch i'r gyfraith, i'r drefn sydd ohoni, ond heb boeni llawer pwy sy'n gwneud y gyfraith honno.

Llyfr proffwydol iawn ydyw, yn yr ystyr o broffwyd yn darllen arwyddion yr amserau. Mae'n cynnwys cant a mil o wirioneddau, ond gwell imi fodloni ar sylwi ar un. Dyma fo: er ein bod wedi etifeddu diwylliant sy'n gyffredin rhyngom, deallwn yn awr nad ydyw pawb yn edrych ar bethau yn yr un ffordd. Ni wnâi mo'r tro inni i gyd fod yr un fath â'n gilydd, meddir. Ond – a dyma 'ond' mawr yr awdur Islamaidd – yn ein dyddiau ni y mae'r diwylliant a fu'n gyffredin rhwng dynion wedi chwalu'n gyrbibion mân. Mewn gair, mae'n bosibl i ddau fyw dan yr unto â'i gilydd ac eto drigo mewn dau fyd cwbwl wahanol.

Ac felly y mae hi hefyd. Pan gerddai'r Sais George Borrow trwy Gymru gallai fentro cyfarch pawb yn Gymraeg. Dyna a ddisgwyliai a dyna a dderbyniai. Pan fyddai trên o Chwilog yn llawn adeg eisteddfod yng Nghaernarfon, gallech fentro mai i'r steddfod yr oedd pawb yn mynd. Mae rhyw fath o unfrydedd electronig erbyn heddiw, mae'n wir, pan welir y blychau golau yn wincian drwy ffenestri'r tai, a phregethwr yn cymryd ei gymariaethau o ryw raglen deledu. A sôn am deledu, yr oeddwn yn sgwrsio efo hogyn ysgol ynghylch rhywbeth a welsai ar y bocs. 'Lle'r oedd o?' gofynnais, 'ar Harlech ?' . . . 'Naci, ar H.T.V.' oedd yr ateb.

Mae radio Cymru, trwy ei gwasanaeth newyddion, yn trafferthu i adael inni wybod bob dydd beth sydd yn y Sun, heb sôn am y Mirror a'r Western Mail. Pam tybed? Mae digon o bethau'n digwydd na fedrwn eu hosgoi, nac osgoi gwybod amdanynt, heb i neb ddweud wrthym ynghylch barn rhyw was-y-wasg-felen o ddwyrain Llundain neu rhyw filiwnydd o Awstralia amdanynt.

Unfrydedd digwestiwn cyffuriol ar y naill law, a chwalfa

ddiwylliannol ar y llall. Oes, y mae gennym i gyd rai pethau sy'n gyffredin inni, ond y mae'r gymysgedd yn creu bydoedd gwahanol. 'Mi fuom ni'n nabod pob enaid yn Llangefni,' meddai T.C. Simpson bore heddiw, 'ond dydw i'n nabod neb yno rŵan.'

Edrychaf drwy ffenest y llofft, a sylwi bod chwech o'r tai agosaf atom yn gartrefi i wŷr o Lundain, yr Almaen, Lerpwl, Birmingham, Hampshire a Chaint.

(Chwefror 1980)

Coed Afalau

Diddorol iawn i mi oedd rhestr Gardd Eifion [Rhys ap Rhisiart colofnydd garddio Y Ffynnon] o goed afalau y gellir eu cymeradwyo 'rhwng môr a mynydd' chwedl yr awdur. Yma, ers talwm, byddai llawer o hen goed afalau na wyddwn erioed eu henwau, ond maent hwythau wedi mynd i gyd, heb ddim ond atgof yn aros o'u lliw a'u blas. Na, mae un math yn aros, un sy'n ffrwytho'n ddi-feth ac yn cadw'n dda, a chan ei bod yn ffurfio gwreiddiau-awyr, fel petai, yn hawdd iawn ei chychwyn o frigyn wedi ei dorri. Enw Alun Ty'n Lôn arni oedd 'afal pêr gwenyn', ond byddai'n ddifyr cael gwybod mwy am ei hachau a'i thras.

Yr olaf o'r hen goed a gyrhaeddodd oed yr addewid yma oedd un a ffrwythai'n rheolaidd gydag afalau melyn, hirgrwn, caled fel cerrig, a chynffon bwt drwchus rhyngddynt a'r brigyn. Ffrwyth tebyg iawn i lemon, yn wir, a phan welais yr enw Lemon Pippin yng nghatalog John Scott o Wlad yr Haf, mentrais ei phrynu. Cafwyd prawf eisoes mai honno fyddai yma gynt, ac y mae'n cartrefu heddiw yn yr union fan lle tyfai o'r blaen. Enw arall arni, ddyliwn i, ydyw afal cwins.

Sôn am 57 o fathau, y mae union 157 o wahanol goed afalau yn rhestr John Scott.

Echdoe yr oeddwn yn rhyfeddu unwaith eto ar y pren afal hynod sy'n tyfu yn yr ardd o flaen Capel Engedi. Mae hwnnw cymaint â rhai o goed derw bach Eifionydd, ac yn amlwg wedi cael tipyn o ofal rywdro, gan fod ei frigau peneliniog yn ffurfio eithaf cylch, a digon o fywyd ynddo o hyd.

Y llynedd, gwelais ffilm anghyffredin wedi ei lleoli yn Albania, am fywyd tyddynwyr yn y wlad honno sy'n dibynnu ar dyfu afalau am eu bywoliaeth. Pan enir plentyn yno, rhaid plannu afallen i ddathlu, ond edrychai'r perllannau yn y ffilm fel petaent yn tyfu ar lethrau'r Cnicht a'r Moelwyn Mawr. Ac yn ôl Geoffrey Grigson yn ei lyfr ar arddwriaeth, mae'r afal wedi cyrraedd hyd atom o'r dwyrain, o wledydd pellach oddi wrthym hyd yn oed na'r Engedi gwreiddiol. Yn nhiroedd caled Afghanistan y mae gwreiddiau'r afal, meddir, ac yr oedd y Rhufeiniaid yn tyfu'r un 'Court Pendu Plat' a enwir gan Gardd Eifion. Mi fyddai hwnnw'n werth ei dyfu petai i ddim ond er mwyn ei enw.

Cofiwch, ni wn i ddim am dyfu ffrwythau, ond mae pob coed yn ddiddorol, a hanes go hir i rai o'r coed pentrefol a grwydrodd fesul tipyn o erddi'r plas. Mae'n llawenydd gweld hyd yn oed afalau surion mewn gwrych, ac i'r gwrthwyneb, i ategu rhybudd Gardd Eifion i osgoi 'bargeinion', mi ychwanegwn innau: gochelwch brynu o unrhyw gatalog lle mae ffrwythau mewn darluniau lliw. Argraffu lliw ydyw un o'r cyfryngau mwyaf twyllodrus a ffug-ddeniadol sy'n bod.

(Mawrth 1980)

Pethau da

Er mwyn ceisio crynhoi argraffiadau'r tair wythnos sydd wedi mynd heibio ers pan aeth rhifyn blaenorol Y Ffynnon i'r wasg, yr wyf am gyfeirio at rai pethau sydd wedi glynu yn fy meddwl, a'u galw'n bethau da. Rhyfedd fel y mae llawer ystyr i'r gair 'da'. Er enghraifft, clywais amryw yn dweud 'Toedd o'n dda?' ar ôl darlith Dafydd Glyn Jones yng Nghymdeithas Werin Eifionydd, a hynny'n golygu bod y ddarlith yn ddiddorol, yn dangos meddwl treiddgar a saernïaeth fedrus. Robert Jones Rhoslan a Drych yr Amseroedd oedd y testun, a defnyddio Drych Robert Jones fel esiampl o ffordd y Cymry o edrych ar eu hanes fel pobl. Yn nhraddodiad y darlithydd Cymreig, cynhwysai'r ddarlith neges ac anogaeth, a'r neges hon oedd inni fel Cymry, o leiaf yn feddyliol, ein hail-sefydlu ein hunain fel trigolion Prydain. Ni, nid y Saeson sy'n siarad yr iaith Brydeinig. I lawr, gan hynny, â Phrydeindod, ac i fyny gyda 'Phrydeiniaeth', neu, i addasu prif bennawd rhifyn cyntaf y papur hwn: 'Dyma Brydain a NI piau hi'. Difyr a diddorol, – a da.

O ran ysbryd y darn, fel petai, aeth Jan Morris i gyfeiriad tebyg yn ei herthygl yn y cylchgrawn newydd 'Arcade'. Y cwestiwn cyntaf y dylai gwleidyddion ei ofyn, meddai hi, wrth bwyso a mesur rhyw bolisi newydd fyddai hyn: Ydi o'n bolisi <u>diddorol</u>? Syniad da. Yn od iawn, dydi pethau diddorol ddim bob amser yn boblogaidd. Y ddadl orau dros ddatganoli, meddai Jan Morris, ydi bod y syniad mor gyfareddol. Y tro nesaf y daw sôn am ddatganoli, awgrymaf innau 'Mentra Gwen' fel arwyddair. Onid Gwen oedd enw Cymru yn yr hen fap ohoni fel gwreigan a baich ar ei chefn? Yn anffodus, mae Gwen wedi moedro'i phen efo yswiriant a threthi a llogau a phrisiau. Mewn gair, mae'n amser i Gwen godi ei phen.

Pan aeth Eben Fardd am dro gyda'i gydymaith a'i edmygwr John Pughe (Ioan ab Hu Feddyg) ar ddiwrnod o Hydref ym 1834, canodd gân Saesneg i'r achlysur. Fel arfer, teimlai Eben yn euog am ei fod yn cael mwynhad. 'Awydd gweld a chael ein gweld' oedd ei hunan-gyhuddiad, ac er i'r ddau fynd yn llawen o Ffynnon Cybi i dafarn Ty'n Porth mynnodd Eben alw'r dafarn yn 'dy Mamon' er mwyn ei gydwybod. Ond o leiaf yr oedd y bardd yn mentro, a'i gywiro'i hun wedyn bob tro. Trwy garedigrwydd Rhys ap Rhisiart y cefais gopi o'r gân, na wyddwn am ei bodolaeth o'r blaen, er fy mod yn gyfarwydd â'r picil yr âi Eben iddo bob tro y deuai John Pughe o fewn cyrraedd.

Cefais flas hefyd ar ddarlith radio D. Tecwyn Lloyd, ar y testun 'Gysfennu i'r Wasg', lle'r oedd yn sôn am y papurau bro yn llenwi bwlch amlwg a esgeuluswyd mor hir gan y papurau lleol Saesneg eu hiaith. Yr oedd yntau'n dda iawn.

A chefais flas ar hel dail, hel dail ar gyfer yr ardd, mwy o gyflawnder eleni nag a gofiaf erioed, a chael geirda gan awdur Gardd Eifion [y colofnydd garddio] am wneud. Diolch yn fawr.

(Rhagfyr 1980)

Darluniau

Ar ben y grisiau yr oedd darlun mawr o gi, bisged gron yn gorwedd ar ei drwyn, a merch fach yn codi bys fel athrawes o'i flaen, yn ei rybuddio i fod yn amyneddgar hyd nes cael caniatâd i lyncu'r fisged. Yn y cyntedd, oriel o aelodau seneddol, darlun o helfa deigr gyda theitl Almaeneg iddo yn y gegin, a'r portreadau arferol o daid a nain, yr hen nain mewn ffrâm hirgron, a chymysgedd arall yn cynnwys gorhendaid, helfa lwynogod, Daniel Rowland, Herber Evans a'r frenhines Alexandra. Yn ddiweddarach daeth y lluniau lliw a geid am gasglu hanner cant o'u darnau mewn cardiau sigarets – caseg a chyw, Bachgendod Raleigh, a Rhwng Dau Dân. Printiau a ffotograffau oeddynt, ond daeth hefyd ddarluniau o waith llaw a welid yng nghartref pob morwr, rhai mewn sidan o China, a llawer o'r Eidal, llun y llong a Vesuvius, wedi eu cael ar ffair am ddim ond crys neu bâr o esgidiau. Ac wrth gwrs yr oedd 'Salem' yn y gegin orau.

O flaen y cefndir hwn o ddarluniau y magwyd ni, a byddai pregethwyr, pan ddeuent i aros, yn cymryd sylw o 'Salem'. Drwg y pregethwyr oedd eu tuedd i ail-adrodd yr hen lol am y diafol yn y siôl, gan greu rhagfarn dragwyddol ynof yn erbyn chwilio am gyfrinachau a 'darllen i mewn' i ddarlun. Mae yna bethau blasus yn 'Salem', yn enwedig y ffordd y mae ymyl y sêt wedi ei pheintio, y sylw a roddwyd i'r llyfr emynau, a'r cloc ar y pared. Peth ar y naw oedd gwthio gwers am genfigen a diafol i mewn i'r llonyddwch hwn.

Ond yr oedd yma luniau eraill, gyfres ohonynt dan wydr ac mewn fframiau gilt go dda, ac o safon uwch o lawer na'r printiau o gŵn a cheffylau ac ati. Maent wedi eu hargraffu o blatiau metel, ac y mae gan y gyfres un testun – caethwasiaeth. Yn y rhan fwyaf ohonynt mae'r dyddiad 1858 yn rhan o'r llun, yr un flwyddyn yn union ag y cyhoeddwyd Gwyddoniadur Thomas Gee, sy'n dweud (am America), 'nid ellir yn rhwydd roddi cyfrif cywir o rifedi y caethion sydd yno yn bresennol', ac yn ychwanegu . . . 'Yn yr Unol Daleithiau, yn ôl Cyfrifiaeth 1840, nifer y caethion oedd 2,487,355'.

Cyfres ddogfennol, tebyg i'r hyn a geid heddiw ar deledu, ydyw, yn ochri gyda'r caethion a'i neges yn Gristnogol, gydag adnod o dan bob llun. Nid ydynt ar y pared yma mwyach, ond mae ambell un wedi ei gadw a'r mwyaf cofiadwy yn darlunio arwerthiant – arwerthiant caethion. Ar boster o'r tu ôl i'r llwyfan gwerthu y mae'r geiriau 'Prime lot of niggers . . . selling off without reserve, . . . horses . . . dogs'. Merch ifanc sydd ar y llwyfan, ei Beibl ar lawr yn ei hymyl, a'r gwerthwr â'i fysedd yn ei gwallt. Ifanc ydyw'r gwerthwr, a'i wyneb cyn galeted ag ambell un a welir yn rhai o'r dramâu teledu casaf neu rai o'r grwpiau pop mwyaf croch.

Ymysg y dyrfa sy'n gwylio y mae gwraig gyfoethog (mae'n amlwg) a Beibl eto dan ei braich, ond canolbwyntiodd yr arlunydd ei ddicter ar wedd ac wynebau'r dynion, ac y mae'r dyn ar flaen y dyrfa yn ymgorfforiad o bob mileindra, yn bwrw'r draul a'i sigâr yng nghil ei geg a'i ddwylo'n ddyfnion yn ei bocedi.

Un pwynt rhyfedd; dangosir y gaethferch sydd ar werth fel merch wyn ei chroen, ei gwallt yn hir, ac nid fel un o'r negroaid. Neges yr artist sydd yma, mae'n debyg, yn ei throi'n Fair Forwyn er argyhoeddi'r cyhoedd. Argraff dros dro fyddai i'r olygfa hon ar deledu, ond profiad gwahanol oedd presenoldeb parhaus y darlun mewn ffrâm aur ar y pared am genhedlaeth. Ac yr oedd y diafol yn hwn mewn gwirionedd, a'i sigâr yn ei geg.

(Ebrill 1981)

Pererinion

Pwy yw'r blin bererinion? Wel, nid mor flin, o ran hynny, mewn unrhyw ystyr, nac yn bererinion go iawn, bob tro. Mae pawb sy'n gyrru car yn gwybod amdanynt, y bodwyr. Er ichi fod yn ddiogel ddigon yn prysuro yn eich cerbyd, nid hawdd, bob tro, ydyw eu hanwybyddu. Nid ydynt yn swil, ond mae ganddynt y gallu i beri gyrrwr car deimlo'n swil, a dioddef euogrwydd wrth geisio'u hanwybyddu. Ychydig o ddewis sydd gennych. Medrwch arafu, fel petaech yn ystyried y cais am lifft, a chyflymu wedyn fel petaech newydd gofio eich bod ar frys mawr. Weithiau byddwch yn syllu'n syth o'ch blaen, gydag ymdrech galed i ymddangos fel petai eich meddwl ar bethau eraill. Tric adnabyddus arall ydyw codi llaw megis i gydnabod cyfarchiad, a pheidio ag arafu, a'r ystryw olaf fydd pwyntio i'r chwith neu i'r dde, gan gogio eich bod ar fin troi y ffordd arall.

Ond eto, cewch eich gorfodi gan gydwybod neu isymwybod neu rywbeth i aros lawer tro, ac agor y drws. Bydd y bodiwr yn agor y drws ôl mewn chwinciad, ac yn llenwi gweddill y cerbyd efo'i faciau mynyddig, yr un fath ag y gwnaeth eisoes lawer tro ar yr un daith. Byddwch eisoes wedi holi ei 'dynghedfan', mewn gobaith gwan ei fod a'i fryd ar fynd ffordd arall, ond cyn pen eiliadau bydd yn rhaid meddwl am destun siarad. Pen y daith ydyw'r testun arferol, a rhyw sôn am draffig neu ddiffyg traffig, ond cryn ollyngdod fydd deall mai dim ond i Fangor y mae'r cydymaith newydd yn mynd o Gaernarfon, neu i

Borthmadog o Gricieth.

Ambell dro, ni fyddwch mor ffodus. Codais ddyn ifanc yn Llanystumdwy, a daeth efo mi bob cam i Gorwen, gan ofyn imi stopio yn y Bala hefyd. Un haf, rhoddais lety car i ddau Americanwr ym Merthyr, a chael eu cwmni difyr yr holl ffordd i Borthmadog. Un ohonynt hwy, os cofiaf yn iawn, oedd yn rowlio chwerthin wrth sôn am arferion ei gydwladwyr, yn enwedig ei rieni. Eu prif ddifyrrwch hwy meddai, gan chwerthin mwy byth, oedd mynd allan i ginio.

Daeth Llydawr i mewn yn y Bala, heb brin ond gofyn, a chymryd arno, orau medrai, na fedrai Lydaweg (hollol debygol) na Ffrangeg. Isio bod yn Sais yr oedd y dyn.

Ond erbyn hyn, mae yna garfan o deithwyr neu fodwyr cyson ar ffyrdd Cymru sy'n debyg iawn i'w gilydd. Maent rhwng ugain a phymtheg ar hugain oed, yn ddigon deallus, yn siarad Saesneg wrth gwrs, a hynny fel rheol heb unrhyw acen arbennig, iaith a wnâi'r tro'n iawn ar raglen ddogfen ar y rhan fwyaf o bynciau ar y teledu. Ni chawsant eu geni yng Nghymru, ond maent yn gallu llefaru enwau fel Dolgellau neu Ddwygyfylchi cyn loywed ag unrhyw Gymro, a gwell na llawer un.

Maent yn byw yn y Bermo neu Benmaenmawr neu Fethesda, yn gweithio yn Ninorwig ac yn byw yn Llanllyfni efallai. Yr un iaith, yr un dulliau ac osgo, cynnyrch y Saesneg Canol a'r gymdeithas dechnolegol. Pan fydd eich peiriant golchi wedi torri, un o'u carfan hwy a ddaw i'w drwsio; pan fo angen gwasanaeth ar y sistem wresogi, wele un ohonynt eto.

Mae amryw ohonynt yn fyfyrwyr, ym Mangor ac Aberystwyth ac Abertawe. Pan sefydlir cwrs newydd, byddant yn gwybod amdano o'ch blaen chi. Os oes grant i'w gael, fe'i rhoddir iddynt. Yr oedd eu henwau eleni ar bapurau'r cyfrifiad, a'r flwyddyn nesaf bydd eu niferoedd wedi amlhau. Soniais am bererinion, ond pererinion ar ben

eu taith ydynt mewn gwirionedd. Prin bod angen iddynt
deithio cymaint, gan eu bod wedi cyrraedd eisoes.

(Mai 1981)

Solffeuo

Yr oedd dau fath o bobl yn troi o'i gwmpas: y rhai a'i galwai'n syml yn sol-ffa a'r lleill a oedd rywfodd wedi magu'r hawl i'w alw'n Tonic Sol-ffa, gydag awgrym o briflythrennau yn y llais. Rhwng y gair tonic a phresenoldeb parhaus y modulator yn yr ysgol a'r bandohôp, yr oedd yn naturiol inni feddwl mai rhyw ddyfais ar gyfer plant oedd y sol-ffa, rhyw fath o salwch gyda'i ffisig (y tonic), ei annifyrrwch (y rhygnu ar yr hen fodiwletor), a'i argyfyngau, sef yr arholiadau dieithr gydag enwau fel Elimentri. Y prif salwch oedd yr Intyrmidiyt, ac yr oedd gofyn mymryn o gryndod yn y llais wrth yngan hwnnw.

Hyd yn oed yn yr ysgol bach, y rinffans, daethom yn hollol gybyddus ag enw J. Curwen & Sons Ltd. ar ben y sgrôl wen efo'r ffyn duon ar ei chrib a'i godre, ac am wn i nad oedd arlliw o Gymraeg yn enw'r dyn, digon beth bynnag i'w wneud yn gredadwy onid yn dderbyniol. Gan mai ysgol yr Eglwys oedd ein hysgol, ac mai un o gyfarfodydd yr Hen Gorff oedd y bandohôp, nid aeth neb i'r drafferth o ddweud wrthym mai gweinidog efo'r Annibynwyr oedd John Curwen, dyfeisydd y sistem gerddorol a sylfaenodd y cwmni cyhoeddi. Dilynem ei sistem ar ôl blaen ffon mewn byd a betws, ond heb glywed yr un gair am y dyn, nag am hanes cerddoriaeth chwaith o ran hynny.

Peidied neb â beio'r hen athrawon a gweinidogion am esgeuluso pethau diddorol; mae'n debyg eu bod yn ddigon doeth a chraff i wybod nad pethau diddorol sy'n apelio at blant mewn dosbarth mewn ysgol. Dysgu'r tablau ac ymarfer ar y modulator oedd y pethau hawsaf, ond rhwng llinellau, megis, y neges gaem oedd mai eiddo i brotestaniaid ac yn arbennig i ymneilltuwyr oedd y sol-ffa. Byddai greddf rhywun yn peri iddo gredu bod y modulator yn gweddu'n well i festri capel nag i adeiladau hynafol yr eglwys. Beth am HEN nodiant, onid oedd gwedd fwy cerddorol, fwy catholig ar hwnnw?

Rhaid imi gyfaddef mai felly yr oeddwn innau'n hanner credu, gan gysylltu'r sol-ffa â thamprwydd y festri dan y capel, lle deuai arholwr ffyrnig ei fwstash a thrwm ei ddillad moto-beic i gychwyn perthynas hirbell rhyngom â'r llythrennau L.T.S.C.

Rhagfarn arferol y capelwr oedd yn gyfrifol am hyn. Wrth gwrs gwyddem fod digon o GANU yn yr eglwys, ond bod y canu hwnnw, efallai, wedi ei etifeddu, heb gymorth y sol-ffa. Camgymeriad eithafol fuasai meddwl ffasiwn beth, fel yr argyhoeddwyd fi pan gefais fenthyg cyfrolau o'r Haul a'r Cyfaill Eglwysig, a chael eu bod yn llawn o sôn am sol-ffa, neu'n rhoi lle amlwg iawn i'r cyfansoddwyr tonau. Bob mis bron yn y Cyfaill Eglwysig fe argreffid tôn newydd, ac yr oedd is-olygydd yn gofalu'n arbennig am yr ochr gerddorol. 'Y gynghanedd yn bur gywir' meddai yn ei sylwadau o hyd, ac yn wir mae'n syndod gweld bod cynifer yn medru cynganeddu tonau trwy gyfrwng y sol-ffa, rai ohonynt heb ddim 'manteision' ysgol.

Peth arall am y sistem; Cymraeg oedd ei hiaith i ni o leiaf. Ac ohoni cafwyd enwau eraill ac un ferf ardderchog, a welir ar ei gorau ar ffurf y cwestiwn tyngedfennol: <u>Fedri di solffeuo?</u> Hollol naturiol i rai o'n cenhedlaeth ni ydyw credu mai dyna'r cwestiwn a ofynnir i Gymry gan Bedr wrth borth y nefoedd.

(Mehefin 1981)

Cywydd i'r Tywydd

CELWRN Y BEIRDD, neu fyfyrdodau ar y glaw, fwy neu lai ar un (CDH 1 X) o bedwar mesur ar hugain Einion Offeiriad neu Dafydd ab Edmwnd neu rywun felly, wrth glywed rhagolygon y tywydd, a gweld ei ganlyniadau.

Am fwrw y mae hi fory,
Drwy'r dydd ceir hen dywydd du;
Yfory, gwlyb ddiferion
A mwy, o Fynwy i Fôn.
O Fôn i Went, dafnau oer
Ysant, yn genlli iasoer.
Eisteddfod o gawodydd,
Rhagor o law, daw bob dydd.
Afrad rhoi dillad allan
I'w gloywi mwy â glaw mân;
Pob cwmwd yn fwd am fis,
Ei ddofi – nid am ddeufis.
Deor ei laid ar y lôn,
Y dŵr yn Aberdaron.
Ni bydd sôn am Eifionydd,
Neuadd o faw ynddi fydd.
I'n sylw daw y sili-don
Ddylifant ar ddôl Eifion;
Sliwod llaes o laid y lli
A hwyliant am Bwllheli,
Ambarel i chwarelwr

A chôt oel i chwiaid dŵr.
Yn y glaw, a'r haul dan glo,
Hyrddwynt rhy wyllt i arddio.
Fy herio a wna twf hirwellt,
A gwae na cheir torri gwellt.
Beth fydd waeth i amaethwr
Na dwyn ei dda oll dan ddŵr?
Ond egr y modd, nid gair mwys
Enwi Dwyfor yn Dafwys,
Ac Erch sydd yn ferch i fôr
A rwyga'r drws ar agor.
Pa sut, o'n cwmpas eto,
I wlad braf, yn olud bro,
Y daw haul i dawelu
Rhaib y tymhestloedd a'u rhu?
O le a fâg lifogydd
(Ymgroesi rhag soddi sydd),
Mudwn ar frys, ymadael
I le rhad yng ngolau'r haul.

(Hydref 1981)

Cwm Hesgin

Yr unig gyfeiriad yn fy meddiant oedd Cwm Hesgin, y Bala, ond ni wyddwn ble'r oedd, na sut i fynd yno. Gwyddwn ei fod yn anhygyrch, a'r unig ffordd i ddechrau chwilio oedd cymryd y map o'i gwr, map 'Dolgellau' rhif 124. Wel, yr oedd Cwm<u>hesgen</u> (fel yna) reit amlwg, ac yn ddigon dinadman i ateb i'm syniad annelwig ohono, a bodlonais ar hynny. Dyna'r cwm, a'r lôn yn darfod ynddo, ac afon Cwmhesgen hefyd, rhyw bedair milltir i'r de-orllewin wedi troi o'r Rhiw-goch ar y ffordd o Drawsfynydd i Lanuwchllyn, ym mlaenau Afon Mawddach ac yng nghysgod Rhobell y Big. Ffoniais John Roberts (y Cyngor Gwlad) yn Nolgellau, ac yr oedd yntau'n cadarnhau. Ond wedyn, sut mai'r Bala oedd y cyfeiriad post?

Drannoeth, canodd y teliffon. Clyde Holmes oedd yno, y dyn yr oeddwn i'w gyfarfod, efo cyfarwyddiadau ar y modd i gael hyd iddo. Gollyngdod. Ond gan fy mod eisoes wedi sefydlu'r lle yn fy meddwl fel petai rhwng Trawsfynydd a Llanfachreth, yr oeddwn mewn penbleth pan ddechreuodd sôn am Lyn Celyn. Llyn Celyn? Pam fanno? Byddai yn disgwyl amdanaf ar y ffordd fawr i'r Bala, lle mae'r lôn yn gadael y llyn yn ymyl yr argae. Gan ddal i hanner glynu wrth fy nryswch, gwelais mai lle hollol wahanol oedd dan sylw, nid Cwm Hesgen ond Cwm Hesgin. Yn ôl at y map. Dim ond codi'r gornel uchaf ar y dde i'r map efo bys a bawd, a'r enw cyntaf a welais oedd Cwm Hesgin, i'r gogledd o Lyn Celyn, ac Afon Hesgin yn rhedeg o Lyn

Hesgyn (amrywiad arall) i Afon Tryweryn.

Cadwodd y dyn at ei air, ac yr oedd wrth giât y lôn, sydd yn wir o fewn tair milltir i'r Bala. Gadael y car wrth hoewal ddefaid lai na lled cae o'r ffordd, a chychwyn cerdded. Does dim modd mynd ymhellach heb gerbyd cryfach na char cyffredin. Ymhen tipyn yr oeddem yn dilyn wal gerrig enfawr, wedi ei chodi o gerrig nadd, braidd yn debyg i luniau o waliau'r Inca ym Mheriw. Croesi'r ffridd, a'r Arenig Fawr o'r tu cefn inni yn edrych yn uwch erbyn hyn nag y gwelswn hi erioed. I'r corsydd wedyn, ar ryw lun o lwybr rhwng y crawcwellt a'r brwyn, a rhydio nant neu ddwy. O'r diwedd, daeth y tŷ i'r golwg, yn y cwm ei hun ym mhen draw'r goriwaered, gwaith ugain munud neu fwy o'r ffordd fawr.

A dyma Gwm Hesgin, y ffermdy mynyddig, y tŷ hir gwyngalchog, meini geirwon mawr yn ei furiau ac un fasarnen uchel o'i flaen. O gwmpas y drws, yr ieir, a dim golwg o bolyn na pheilon, dim ond eangderau maith y fawnog a'r ffridd. Aroglau'r gegin yn cludo rhywun yn ei ôl hanner canrif, aroglau'r hen ffermdai mynyddig, cymysg o leithder a llaeth enwyn a llwch. Hen ddodrefn yno hefyd, nid creiriau chwaith, ond cadeiriau pren cyffredin heb ddim crandrwydd, nac un arlliw o'r smartrwydd hwnnw sy'n elyn i bob harddwch. Dim car gan y teulu, dim trydan, dŵr o'r ffynnon yn unig, a dim ffôn yn nes nag un o'r ffermydd ar y lôn fawr. Clyde Holmes yn barddoni ac yn peintio, lluniau mawr pum troedfedd sgwâr o'r ffridd a'r llyn a'r mynydd a'r awyr, ar bob tywydd. Gudrun y wraig yn gwneud coffi da, ac yn cynnau coelcerth o briciau yn y grât haearn rhydlyd.

Mis Gorffennaf oedd hi, ond yr oedd y tân yn dderbyniol, i fyny yno ar y rhosydd. Ar fy nhaith oddi yno, casglais ddyrnaid o blu'r gweunydd i fod yn dystion ysgafn i'r dydd. Mae'n ormod gennyf feddwl sut y bu hi tua Chwm Hesgin –

heb sôn am Gwm Hesgen a Llyn Hesgyn – yn ystod Ionawr eleni. Ac eto, doedd yno ddim peipiau i rewi na thrydan i'w dorri, fel nad oedd yn waeth ar y bugeiliaid newydd, o bosibl, nag ar drigolion cynnar y cwm.

(Chwefror 1982)

Carreg Grace

Yn ystod yr haf diwethaf [1982], pan oeddid yn rhuglo a thacluso hen fynwent Llanystumdwy, daeth carreg fedd i'r golwg ac arni'r arwyddion syml 'G.M. died Feb. the 26, 1684'. Nid oeddwn wedi ei gweld cyn hynny gan iddi fod dan yr wyneb ers blynyddoedd, ond yr oedd Myrddin Fardd wedi sylwi arni bedwar ugain mlynedd yn ôl, a'i harysgrif hi ydyw'r gyntaf sydd ganddo yn ei restr o gerrig y fynwent hon yn y 'Gleanings'. Codwyd y garreg ar ei sefyll erbyn hyn, ac fe'i gwelir rhwng adain ddeheuol yr eglwys a mur deheuol y fynwent wrth y bont.

Ni chofnododd Myrddin yr un garreg gyda dyddiad cyn yr 17eg ganrif arni yn holl fynwentydd Llŷn ac Eifionydd, ac ychydig iawn a geir hefyd cyn ail hanner y ganrif honno. Pwy bynnag oedd G.M., bu rhywun â theimlad go arbennig at y llythrennau yn eu crafu ar wyneb anwastad y llechfaen. Garw yw'r gwaith, ond gweddus rywsut yn ei amherffeithrwydd. Pethau byw ydyw llythrennau, yn gallu bod yn farddoniaeth ynddynt eu hunain weithiau, ac y mae'r ffurfiau sydd ar y garreg, er eu hanystwythed, yn awgrymu dysg a thraddodiad. Mae lled y llythyren H, cyfyngder yr E, a haelioni'r D yn ddyledus i egwyddorion y Rhufeinwyr, ac y mae'r holl osodiad yn meddu naws yr hyn y bu David Jones yn ein dyddiau ni yn ymladd i'w gael yn ei arysgrifau ar bapur. Ceisiwyd creu effaith debyg yn yr adnodau ar y cerrig ym muriau eglwys gadeiriol Coventry, ond heb lwyddiant. Nid hawdd cyrraedd amherffeithrwydd perffaith.

Ond pwy tybed oedd G.M., yr aed i'r drafferth o'i nodi ar y garreg pan oedd beddfeini'n bethau prin? Nid oedd gennyf unrhyw gynnig tan heddiw, ar ôl troi unwaith eto i'r 'Gleanings', a gweld ymysg yr enwau a gododd Myrddin o gofrestr y plwy y nodiad hwn dan y bedyddiadau:

1681 Grace the daughter of William Morgan, Cler & Katherine Anwill was borne the 16th of May and was Babtized the 22th of the same month.

Gwelir bod gan y clerigwr hwn ferch a'i henw Grace. Yr oedd eisoes wedi nodi bedydd merch arall iddo, ac yn ôl y manylion brwdfrydig, rhaid mai offeiriad y plwy sydd yma'n croniclo ei blant ei hun:

1676 Katherine the daughter of William Morgan Cler & Katherine Anwill his wife was borne on the 19th day of November <u>about three o clock in ye morning</u>.

Onid tad y plentyn a fanylai fel hyn? (Nid yn aml y nodir hyd yn oed y dyddiad geni.) Bedyddiwyd merch arall iddo, Elizabeth, ym 1683.

Arfer go ddiweddar oedd torri enwau ar gerrig beddi, ond os oedd unrhyw un yn debyg o ddilyn arfer yr uchelwyr, yr offeiriad oedd hwnnw. Nid oedd yn grefftwr, ond yr oedd wedi cael addysg, ac yn gynefin â gweld llythrennau Rhufeinig mewn llyfrau ac efallai ar adeiladau un o'r hen brifysgolion. Os oedd wedi croniclo awr geni ei ferch arall – ei ferch hynaf o bosibl – yn llyfr yr eglwys, go brin y byddai'n esgeuluso nodi bedd ail blentyn, a fu farw cyn cyrraedd ei thair blwydd oed. Ni welais gofnod o'i marw mewn cofrestr, ond y mae teimlad yr offeiriad ifanc yn llefaru trwy'r garreg. Gormod i un dibrofiad fyddai torri'r enw llawn ar y llechfaen, a rhaid oedd bodloni ar G.M. Mi ddywedwn i mai Grace Morgan oedd honno, a phwy ond ei thad a dorrodd y llythrennau llafurus, ysgolheigaidd, ar garreg dlawd ei bedd?

(Ionawr 1983)

O.N. Fel yr oeddwn yn ceisio dyfalu yn rhifyn Ionawr, Grace Morgan yn wir oedd G.M., a William Morgan ei thad yn rheithor y plwy rhwng 1676 a 1690. Cefais weld copïau o'r gofrestr gan y Parch William Jones . . .

Fe'i ganed ar Mai 16, 1681 meddai ei thad, 'about the dawning of the day'.

(Chwefror 1983)

Synnwyr Lliw

Mae'r Mri Hepworth, yn unol â'u hen arfer o daeru ar ddu a gwyn mai'r dillad sy'n gwneud y dyn, wedi cychwyn ymgyrch newydd gostus yn y papurau lliw. Annog dynion i brynu eu siwtiau a'u crysau a'u sgidiau <u>nhw</u> y maent yn yr hysbyseb, a'r dillad yn cydfynd â'i gilydd, yn cytuno, yn odli ac yn cynganeddu hefyd am wn i. Nid ydynt yn honni bod eu dillad yn ddiddorol, dim ond eu bod yn unfrydol. Go brin y dewisai neb y fath ffurfwisg heb fod raid, ond rhodder dau farc a hanner i'r Mri H. am drio.

Cwynir yn ein herbyn, ni'r Cymry, nad oes gennym synnwyr lliw, ond y mae gosodiad cyffredinol fel yna'n ddiwerth heb esiamplau. Gellid yr un mor hawdd honni nad oes gennym synnwyr sain, na theimlad at iaith, a dwyn cyflwr Cymraeg llafar yn dyst, ond gwyddom nad yw hynny chwaith yn gyffredinol wir.

Na, go brin bod gennym lai o synnwyr lliw na'r Saeson na neb arall, ond mater gwahanol fyddai gofyn faint o ddiddordeb sydd gennym mewn lliw, a pha radd sydd iddo ymysg is-adrannau ein diwylliant. Ein drwg ni oedd tybio y gellid dysgu rhai pethau heb unrhyw fath o hyfforddiant. Canolbwyntiwyd ar rai agweddau mewn celfyddyd: y tonic sol-ffa, gwersi piano, adrodd ar lwyfan. Pam nad gwersi mewn trin lliw, ar yr un egwyddor â dysgu trin nodau?

Nid darluniau sydd gennyf mewn golwg, ond lliwiau ar geir a thai a dillad a dodrefn. Carpedi, er enghraifft. Gellwch fynd i chwe warws garpedi, y naill ar ôl y llall, a gweld cannoedd o lathenni sgwâr o'r erchyllterau hyllaf ym mhob un, digon i'ch dychryn a'ch dallu. Wrth gwrs, y cyfuniad dieflig o liw a phatrwm sy'n gwaethygu pethau, a phrin iawn, iawn ydyw'r patrymau da a roed ar garpedi yn y ganrif hon. Ond wedyn, nid yng Nghymru y gweneir carpedi erchyll y siopau, ac felly rhaid bod rhywrai eraill heb synnwyr lliw.

Clywais ein cyhuddo hefyd o ddewis lliwiau croch (nid coch) wrth beintio gwaith coed ein tai o'r tu allan. Y drwg yn yr achos hwn ydyw'r gormodedd o ddewis, ac o'm rhan fy hun byddwn yn ddigon bodlon pe na bai dim paent (allanol) ar gael ar wahân i lwyd a gwyn.

Hyd yn oed ym myd y blodau, a 'ddatblygwyd' gan ddyn, gellir gwell a gwaeth mewn lliw, ac y mae rhai ceirios pinc siwgraidd yn llai deniadol na'r rhai gwynion gwyllt. Gwnaed y cennin Pedr yn droseddwr hefyd, a melyn rhai mathau ohono'n afresymol o gryf, fel faniau'r A.A.

Un o'r pethau bythgofiadwy yn Hen Atgofion W.J. Gruffydd yw'r stori am ei dad yn dewis deunydd siwt (am unwaith) heb gyngor ei wraig, gan ddibynnu ar bwt o batrwm mewn siop. 'Daeth y siwt yn ei holl danbeidrwydd cynhenid . . . Edrychodd fy nhad yn hurt arni, ond ni ddywedodd air.' Yn ein dyddiau ni, yr oedd gohebydd teledu'n enwog am ei ddillad llachar, ac meddai ei wraig wrth dywys rhywun o amgylch ei wardrob: 'Fi sy'n dewis pob dim i'r gŵr. Does gynno fo ddim chwaeth o gwbwl'.

Prun bynnag, does dim rhaid dibynnu ar Hepworth. Prynwyd crys i mi yn Woolworth, ac y mae hwnnw'n haeddu chwe marc.

(Mai 1983)

Adar a Rhosod

Nodau cyntaf simffoni Mozart, Rhif 40 yn G leiaf. Rai blynyddoedd yn ôl yr oedd yma geiliog bronfraith yn teyrnasu, fel y bydd ei rywogaeth, ac yn adrodd yr union nodau hyn yn ei gân, yn yr un cyweirnod. Y tymor hwnnw yr oedd record o symudiad cyntaf y simffoni yn uchel ar siartiau poblogrwydd y byd pop. Nid oes angen dweud rhagor.

Eleni, ar ôl i delor y cnau fod yn unig gyfeilydd am wythnosau efo'i chwibanu unsill a llythrennol undonog, dyma geiliog bronfraith newydd i'r llwyfan. Mae hwn yn ffliwtio o fore tan nos, ac yn rhoi taw ar bob aderyn arall. Yn ôl arfer y llwyth, dilyniant o ddarnau byrion sydd ganddo, chwibaniadau amrywiol o bob math. Weithiau bydd yn mewian fel cath ar ben coeden. Yn ei ddatganiad y mae'n cynnwys y chwibaniad mwyaf digywilydd a glywais gan aderyn erioed, galwad deunod hyf a llencynnaidd.

Os awn allan, yn enwedig gyda'r nos, bydd yn dechrau arni o'r newydd, er mwyn tynnu sylw, fel petai'n falch o gael cynulleidfa. Fe'i recordiais lawer gwaith, a hyd yn oed chware'r tâp yn ôl i'w ateb.

* * *

Cafodd y gaeaf a'r gwanwyn gwlyb effaith ar dyfiant. Ymatebodd pethau sefydlog fel llwyni blodau gydag afiaith anghyffredin, ac ni chofiaf weld o'r blaen gymaint bywyd mewn rhosynnau. Mae 'Heddwch' gennyf ers deng mlynedd ar hugain, ond ni flodeuodd yn hollol lwyddiannus tan eleni. Y rhosyn gwyn 'Virginal' yr un fath; cyn y flwyddyn hon ni chafwyd rhagor na hanner dwsin o bennau blodau arno, ond heddiw mae arno ddau ddwsin, a'r rheini ddwywaith eu maint arferol.

Dywedodd dyn o Forgannwg yma'r diwrnod o'r blaen iddo golli miloedd o goed llwyfain drwy'r haint o'r Is-almaen. Y llwyfain cyffredin, neu 'Seisnig' oedd y rheini. A ydyw'r haint yn effeithio ar y llwyfanen lydanddail? Un noson, yn ymyl Pentraeth, Môn, gwelais reng iraidd ohonynt ar ymyl y ffordd, yn holliach.

Dychwelyd o ganolfan Bodeilio yr oeddwn, ac er ei bod yn ddiwedd Mehefin prin iawn oedd arwyddion y diwydiant ymwelwyr, er bod 18,000 wedi ymweld â Bodeilio y llynedd.

Os ewch yno, cofiwch sylwi ar y cwilt Cymreig sy'n gant a hanner oed. O Loegr y daeth patrwm traddodiadol y cwilt Cymreig, ond swyn arbennig yr esiampl ym Modeilio yw ei lliwiau: llwydwyn, a gwawr ddulas fel hen inc. Defnyddiwyd lliwiau rhy gryfion ar rai ohonynt yn ddiweddar, nes bod ambell un mor ddigywilydd yn ei liw ag mae ein ceiliog bronfraith cymdogol ninnau yn ei gân.

Byddai'r newyddiadurwr hynaws E. Morgan Humphreys yn hoff o sôn ar ddiwedd ei nodiadau am rywbeth a welsai mewn daear, dŵr ac awyr. Cyfieithaf hwn o erthygl ganddo ar Awst 12, 1937:

Nos Lun, wedi'r glaw, yr oedd y machlud maith yn olygfa gofiadwy. Llwyd a thrymaidd fu'r gorwel drwy'r dydd, ond yn sydyn ymddatododd y llenni llwydion a

chymryd arnynt arlliw fioled. Trawsffurfiad nodedig
ydoedd. Cyn y glaw, gwelswn res hir o goed criafol,
llawn aeron cochion, ar fin y ffordd. Gwyn fyd na welid
golygfa fel hon yn amlach ar hyd ein ffyrdd y dyddiau
hyn.

(Gorffennaf/Awst 1983)

Llestri Bwcle

'Wrth feddwl am fy Nghymru' mae'n ddigon hawdd cofio am Gaergybi a Chaerdydd, Pantycelyn a Dolwar Fach, ond pwy sy'n meddwl am Sblot a Summerhill, Jersey Marine – a Bwcle? Byddai ein hathro Saesneg, ac yntau wedi ei fagu o fewn ychydig filltiroedd i'r lle, yn mynnu bod tair iaith yng Nghymru: Cymraeg, Saesneg a Saesneg Bwcle. Mi fûm yn byw efo (nid yn) Bwcle'n ddiweddar, wrth gyfieithu traethawd ar grochenwaith enwog y lle.

Fel hyn yr oedd un o'r trigolion yn cyfeirio ymwelydd i'r dref:

> Gadael Lloegr yng Nghaer a chroesi i Gymru. Gadael Cymru ymhen wyth milltir a chyrraedd Bookley.

Oedd, yr oedd ganddynt eu tafodiaith eu hunain, ac nid oedd dim casach gan bobl Bwcle na rhodres un o'u cymdogion wrth geisio siarad Saesneg cywir.

Dirmygid hwythau gan rai o'r tu allan, ac yn adroddiad 1847 ar Addysg (y Llyfrau Gleision) rhybuddir ei bod mor anodd cywiro acen plant Bwcle ag y byddai dysgu Saesneg i blant Cymreig.

Mae'n debyg bod gan y rhan fwyaf ohonom rywfaint o gynnyrch y lle yn ein tai. Dibynnai ein neiniau arno am botiau llaeth, potiau bara, padelli a phowliau o bob math, ond llestri pridd coch neu felyn diaddurn oedd y cyfan, a thipyn o sglein plwm du ar ran uchaf y llestri mwyaf. Os yw tŷ mewn tipyn o oed, y tebyg yw i botiau'r cyrn gael eu gwneud yno hefyd.

Yr oedd yr holl ddefnyddiau o fewn cyrraedd: glo yn y Parlwr Du, y glo i gynnau'r odynau; plwm o Halcyn, a chlai ar fynydd neu gomin Bwcle ei hun. Saeson o ogledd a chanoldir Lloegr oedd y gweithwyr, yn gymysg â'r Cymry, ond cofir yno o hyd am un teulu, Jonathan Catherall (Cetrol ar lafar) a'i ŵyr yn enwedig. Codasant grochendy a chapel Annibynnol, a daeth hwnnw'n achos pwysig. Yno y daeth Elfed yn weinidog ifanc ugain oed yn 1880, ac er na threuliodd fwy na phedair blynedd yno, rhoddwyd Ysgol Elfed yn enw ar yr ysgol uwchradd a agorwyd yn 1954.

Bu rhai o grochendai Bwcle'n dal ati hyd bedwar degau'r ganrif hon, a chofir eto am y potiwr a'i drol yn gwerthu llestri o ddrws i ddrws.

Ceid pob llestr pridd at iws y tŷ o'r crochendai, o bot peilliad i ddesgil pwdin reis (neu bwdi reis yn ein tafodiaith ni) er nad oedd raid i'r pwdin fod yn reis am wn i.

Aeth crefft Bwcle ar gyfeiliorn tua chanrif yn ôl wrth fynd i ddilyn y ffasiwn i wneud ornaments parlwr a llestri silff ben tân. Methiant go erchyll oedd eu pethau ffansi, ond wedyn, pan gaed llestri ysgafnach o'r ffatrïoedd a newid mewn dulliau gwneud bwyd, esgymunwyd yr hen botiau i'r sgubor ac i'r ardd.

Erbyn heddiw mae crochenwyr proffesiynol yn meddwl y byd o lestri pridd Bwcle, ac yn rhoi lle o anrhydedd iddynt mewn ystafelloedd, gan nad oes le iddynt ar silff ben tân, na silff felly mewn llawer tŷ prun bynnag.

A byddaf innau'n gweld cynnyrch arall Bwcle wrth balu'r ardd, – y cetynnau clai. Codais gannoedd o ddarnau – (wel, darn ydi cetyn) – drwy'r blynyddoedd, ac wedi eu golchi mae'r clai cyn wynned ag erioed, ac ni cheir dim gwynnach o'r ardd na'r clai a graswyd yn fflamau glo'r Parlwr Du.

(Medi 1983)

Enwau

Pan oedd y gwŷr a gododd inni sinemâu yn nhrefi Sir Gaernarfon a Sir Feirionydd yn chwilio am deitlau i'w rhoi ar eu temlau, eu dewis oedd enwau rhwysgfawr o Roeg a Rhufain, ond bod y rheini wedi teithio trwy wythiennau Llundain a Lerpwl. Felly y daethom yn gyfarwydd â'r Palladium a'r Coliseum, y Plaza (anaml y byddwn yn defnyddio 'z' yn Y Ffynnon) a'r Forum a'r Majestic. Enwau Lladinaidd bob un, ac fe'u derbyniwyd yn ddigon difeddwl. Ceisiwyd perswadio'r perchennog i roi enw Cymraeg ar ei sinema fawr yng Nghaernarfon, ond chwerthin a wnaeth. Mae'n siwr, o feddwl am eu cynnwys, mai rhagrith fyddai rhoi iddynt enwau Cymraeg, ond ail-gododd y gred mewn Lladin (drwy gyfrwng y Sbaeneg) yn ddiweddarach gyda thwf siopau a thai bwyta: Alcatraz, Villa Pantana. Aed i gysylltu'r Sbaeneg Ladinaidd â materion moeth a hamdden, a daeth patio a marina yn enwau cyffredin.

Yr enw pensaernïol ar y cowrt yng Nghaernarfon, lle saif cofgolofn Llywelyn ydyw agora, yr hen enw Groeg am le'r farchnad, ond term clasurol gywir ydyw hwnnw. Tynnu sylw a hysbysebu yw swydd yr enwau Sbaenaidd ac Eidalaidd eu naws, a dyna pam y bedyddiwyd ceir newydd yn Metro a Maestro, Nova a Sierra, i fod yn llithrig ar dafod ym mhob gwlad.

Rhyfedd fel y dychwelodd hoff iaith John Owen, yr hen epigramydd o'r Plas Du yn ôl i'n plith mewn ceir cyflym wedi pedair canrif, ond daeth tro arall ar fyd hefyd, a chymerodd y theatrau arnynt enwau Cymraeg: Clwyd, Gwynedd ac Ardudwy.

O ddwyrain a chanol Eifionydd, Ardudwy ydyw'r theatr agosaf. Wrth fynd tuag yno dros bont Briwet, gellir maddau eu henwau i'r Maestro o'ch blaen a'r Sierra tu ôl am eich bod i gyd a'ch trwynau am y theatr. Mae cryn bleser yn y daith ei hun: harbwr Porthmadog, Y Cob a'r Traeth Mawr, y Cnicht a'r Traeth Bach, a'r trwch coed derw ar y llechweddau. Ar forfa gwastad Harlech, ymgyfyd craig a thyrau'r castell yn ddu rhyngom a'r awyr, ac mewn tri munud byddwn yn dringo'r grisiau i'r theatr ei hun.

Nid yw Ardudwy ond enw benthyg pan fydd yno ddim ond ffilmiau Americanllyd, ond mae'n ychwanegiad o bwys pan gyflwynir drama Gymraeg. Mae'r cyntedd yn llawn o Gymry, llwyth bws o'r Blaenau, a rhywun o Eifionydd wedi dod am yr ail dro er mwyn cael astudio'r ddrama'n drwyadl.

Ddeng munud i wyth cododd y goleuadau ar 'Y Tair Chwaer', ac aeth yr act gyntaf yn ei blaen yn ddiegwyl tan ddeg o'r gloch. Drwy'r holl amser, ni chlywyd yr un pesychiad na siffrwd papur fferis. Gwrandawai pawb yn ddigon astud i glywed yr actorion yn meddwl. Wedi'r egwyl, yr oedd awr arall i'r ddrama, ond nid anesmwythodd neb.

Rhyfedd fel y mae rhyw wrth-hysbysebu cudd yn dweud ar nifer cynulleidfa. Ychydig iawn a aeth i weld 'Y Tair Chwaer' y noson gyntaf, effaith y gwrth-hysbysebu o bosibl, ond yr oedd y dyrfa gref yr ail noson yno o'u dewis eu hunain, ac am resymau cadarnhaol. Dyna'r gynulleidfa orau, yr un wirioneddol wirfoddol, heb ragfarn y naill ffordd na'r llall, ac ni siomwyd mohoni gan y perfformiad hwn, y gorau o ddigon gan Gwmni Theatr Cymru dan yr oruchwyliaeth bresennol.

(Hydref 1983)

Traddodiad Byw

Yn 1858 aeth hogyn naw oed yn brentis at Alltud Eifion yn swyddfa'r Brython yn Nhremadog. Enw'r hogyn a aned mewn bwthyn yn ymyl Clenennau [cartref Syr John Owen, Y Brenhinwr], oedd John Thomas. Erbyn 1883 yr oedd yntau'n fwy adnabyddus fel Eifionydd ac wedi sefydlu cylchgrawn cenedlaethol, a phetai ei Genhinen wedi cael byw tan eleni, byddem yn dathlu ei chanmlwyddiant. Yr oedd yr hen gylchgrawn wedi newid ei wedd yn arw cyn y diwedd, ond daliodd i ymddangos (gyda chymorth) tan 1980. Ar y cyfan, cadwodd at fwriad gwreiddiol y golygydd, a fynnai gael 'cylchgrawn hollol genedlaethol'.

Ar brynu cylchgronau y mae'r pwyslais heddiw, ac er bod Eifionydd yn bugeilio'r gwerthiant trwy fynd â'i gyhoeddiadau o dŷ i dŷ ar draws gwlad, ar ddarllen yr oedd y pwyslais. Mae cyfrolau cynnar Y Genhinen yr un mor ddarllenadwy heddiw. Heb unrhyw ddarlun, na dim o'r croes-benawdau nawddogol a ddefnyddir gan rai golygyddion heddiw i wallgofi darllenwyr, cynhwysai'r rhifynnau cyntaf bedwar ugain tudalen mewn print go fân, ac yr oedd rhai o'r ysgrifau cyhyd bob tipyn â rhifyn cyfan o rai o'n cylchgronau diweddar ni.

Erbyn yr ail gyfrol, 1884, anfonwyd erthygl i'r Genhinen gan hanesydd ifanc o Lerpwl, John Edward Lloyd, ac er na welais erioed mo'r golygydd hyd y gwn (bu fyw tan 1922) mae'n rhyfedd sylweddoli bod llawer ohonom wedi cyfarfod dyn a sgrifennai i'r Genhinen ym 1884, gan i Syr

John Lloyd fyw tan 1947.

'Taliesin ben beirdd' sydd uwchben ei ysgrif gyntaf, ac ar ei dechrau mae'n dyfynnu sylw treiddgar Carnhuanawc, i'r perwyl nad ydym fel Cymry yn gwybod fawr ddim am ein henwogion – 'i'r un mesur ag y maent yn enwog y maent yn anadnabyddus'. Eleni, bron ganrif union ar ôl cyhoeddi ysgrif J.E. Lloyd, cyhoeddwyd llyfr Emyr Humphreys, 'The Taliesin Tradition'.

Parhad y traddodiad Cymreig, y gallu gwyrthiol i fynnu ymysgwyd a byw ar yr unfed awr ar ddeg o hyd, yw'r peth hynotaf a feddwn fel pobl, ac olrhain y parhad hwnnw y mae Emyr Humphreys. Nid ysgrifennwyd llyfr fel hwn yn Saesneg o'r blaen, ond gellid rhesymu na fyddai llyfr o'i fath yn bosibl oni bai i'r Genhinen roi llwyfan i feddyliau dynion fel John Edward Lloyd, Emrys ap Iwan, a John Morris Jones, ar yr union adeg pan oedd yr ysgolion yn perffeithio dulliau o ladd yr ymwybyddiaeth Gymreig. Un o brentisiaid Taliesin oedd yr hogyn o'r Clenennau hefyd.

Neithiwr, 3 Rhagfyr, ar ôl dechrau sgrifennu hyn, digwyddais wrando ar sgwrs radio Saesneg ar ranbarth y Dordogne yn Ffrainc. Disgrifiai'r siaradwr fel y byddai'r brodorion, a'u plant a'u hanifeiliaid, yn gorfod ymguddio mewn ogofâu dan ddaear yn yr oesau canol rhag llid milwyr direol y tywysogion Seisnig. Heddiw, llenwir buarthau'r ffermydd yno bob haf gan geir efo platiau hirgrwn GB neu NL, a phrynwyd a meddiannwyd un pentref cyfan gan yr Iseldirwyr.

Parhaodd gwareiddiad y Dordogne er gwaethaf erlid oes y tywysogion, ond nid oes dim i'w hamddiffyn rhag dulliau 'cyfreithlon' byd busnes a chyfalaf. Cyn bo hir fe ddiwreiddir eu cymdeithas ac efallai y diffoddir hyd yn oed eu hanes yn y cof. Ni all gwladwriaeth bwerus amddiffyn ei phobl ei hun, na'i phobloedd darostyngedig chwaith. Eu hunig amddiffyniad yw traddodiad byw.

Ac eleni [1983] yr oedd Saunders Lewis yn 90 oed, a pha drefn fyddai ar ein hymwybyddiaeth ni oni bai am y gŵr hwn, a ddaeth i'r amlwg pan oedd ei angen arnom. Gŵyr pawb amdano, ond yn unol â'n gallu Cymreig i anghofio, prin y sylweddolir bob amser ei fod hefyd yn fardd mawr. Yn fy marn i, un o'r cerddi mwyaf yn yr iaith ydyw 'Marwnad Syr John Edward Lloyd' gan Saunders Lewis. Ynddi rhoddir llais bardd i'r hen thema, yr hil a 'gondemniwyd . . . i wthio o oes i oes drwy flynyddoedd fil, Genedl garreg i ben bryn Rhyddid'.

Mae'r gerdd yn ein difrifoli a'n hysbrydoli o hyd, ac ar ddiwedd blwyddyn fel hyn mi hoffwn ddyfynnu ei dwy linell olaf, yr unig gwpled yn y Gymraeg a'm dallodd gan ddagrau pan ddarllenais hi gyntaf erioed:

Ond ef, lusernwr y canrifoedd coll,
Nid oedd ef yno mwy, na'i lamp na'i air.

(Rhagfyr 1983)

Seland Newydd

Llythyr gan Elin Jane o le mor annisgwyl â Seland Newydd a wnaeth imi feddwl am yr ynysoedd pellennig hynny. Dwn i ddim yn iawn sut y mae Seland Newydd yn sefyll ym meddwl rhywun, gan fod gennym ryw argraff law-fer ar gyfer pob gwlad. Mae'r Awstralia faith yn haws ei hamgyffred: mae'n allforio ei phobl dalentog i'n plith, yn llenorion ac arlunwyr a cherddorion ac actorion, a chlywsom rywbeth am Sydney a'r bont a'r tŷ opera ar y naill law, ac wedyn am y brodorion a'r cangarŵ, a rhyw achlust o Saesneg rhyfedd rhai o'r trigolion gwynion. Ac y mae gan bawb rywun yn perthyn yn Awstralia.

Achos gwahanol yw Seland Newydd. Mae yno rygbi, a chorau Maori yn canu fel corau capel, a Kiri Te Kanawa wrth gwrs. Beth arall? Defaid, mae'n siwr. Ond mae'r pen yn mynnu rhoi safle i bopeth, ac yn fy mhen i mae Seland Newydd yn nofio'n annelwig i lawr ar yr ochor chwith – fel bron bopeth arall a dweud y gwir, gan gynnwys y canol oesoedd a diwygiad '59 a Thregaron a thonic sol-ffa. Lle gwyrdd sydd yno, yn ôl y meddwl a'i gamera, a rhyw hanner golau, fel mewn breuddwyd cyn deffro neu gyda'r nos yn Ebrill.

Yn ôl at y ffeithiau. Bu bron i minnau fod yn un o ddinasyddion yr ynysoedd pell. Cafodd fy nhad gynnig swydd harbwr-feistr porthladd Auckland. Sylwch ar yr enw Sgotaidd: Albanwyr ydyw'r Selandiaid – y pictiwr llaw-fer eto – a Chymry sy'n byw yn Awstralia, efo enwau fel

Hughes a Roberts a Harris. P'run bynnag, gwrthod y swydd fu'r hanes. Doedd dim dadwreiddio i fod, ac . . . 'rym ni yma o hyd.

Dysgais fwy am yr ynysoedd nos Wener dwytha. Alistair Cooke oedd yn sôn ar y radio am fynd ar long i fyny un o'r aberoedd yno, yng nghysgod yr elltydd-môr uchaf yn y byd, a'r llethrau dan gwrlid o goed ffawydd tragwyddol. (Ffawydd, wir, nid pinwydd na ffynidwydd y comisiwn coedwigo.) Ond weithiau gwelir colofn o fwg yn codi o'r goedwig: mae rhywrai yn byw ymysg y coed, ond nid oes neb erioed wedi eu gweld. Yn ôl y darlledwr, mae rhai tebyg yn Efrog Newydd, er eu bod yn byw yng ngŵydd pawb, ond byth yn darllen papur newydd na gwrando ar newyddion, wedi ymroi i'w diddordebau personol eu hunain.

Fel hyn y mae Elin yn dweud yn ei llythyr:

'Fel y gwelwch, yn Seland Newydd ydw i rŵan. Roeddwn yn gweithio yn ystod yr haf fel lapiwr gwlân ar ôl ceisio'n ofer i gael swydd yn unman, ac am nad oedd gennyf unrhyw beth i'm cadw yng Nghymru penderfynais ddod i S.N. am gyfnod i weithio ar ffarm, ac yna trin gwlân yn y siediau cneifio. Yn awr mae hi'n ganol haf yma, ac ym mis Chwefror rwyf yn mynd i weithio i Awstralia. Mae'r wlad yma'n ifanc iawn a does dim modd osgoi hynny yma yn unman. Bryniau, haul poeth, ffensys mân trydan a choed eucalyptus efo haen binc a gwyrdd drostynt. Dim hanes fel sydd yng Nghymru. Rhaid peidio anghofio sŵn yr adar hefyd, fel sŵn cratiau o boteli llefrith gwag'.

Nid person dychmygol mohoni, gyda llaw, a chafwyd peth o'i hanes o'r blaen yn Y Ffynnon ym Mawrth 1982, pan oedd hi'n arlunydd preswyl am fis mewn pedair ysgol

gynradd yn y cylch. Ond brysied Elin yn ei hôl. Er ein bod ni
yma o hyd, does dim gormod ohonom.

[Dychwelodd Elin (merch o'r Pistyll, ac Elin McGowan
erbyn hyn) i Gymru, ac mae hi'n athrawes celfyddyd yn
Ysgol Eifionydd, Porthmadog ers deuddeng mlynedd.]

(Chwefror 1984)

Ffiniau

Yn ei feirniadaeth ar y nofel a enillodd wobr Daniel Owen yn Llanbedr eleni [1984] y mae Harri Pritchard Jones yn dweud hyn: 'Mae gan yr awdur wybodaeth fanwl iawn am hanes y cyfnod a holl ddaearyddiaeth Cymru, yn enwedig y gogledd'. Yr awdur oedd R. Cyril Hughes, ac ni fyddai neb yn amau ei wybodaeth o hanes a daearyddiaeth: neb, efallai, ond y rhai ohonom sy'n eiddigus dros leoliad a therfynau Eifionydd.

Yn y nofel 'Castell Cyfaddawd' rhoddir cryn sylw i Robert Owen o'r Plas Du. Gellir maddau i Elen y forwyn am ei alw'n 'ddyn dierth o Lŷn' pan ddaw i Wydir, ond ar y tudalen nesaf y mae'r awdur ei hun yn ychwanegu: 'Teulu'r Plas Du oedd Pabyddion mwyaf pybyr holl wlad Llŷn'.

Dyma ni eto. Mae rhywun yn rhywle o hyd yn cymysgu Llŷn ac Eifionydd, ac y mae'n anodd gwybod sut i'w darbwyllo bod terfyn yn derfyn a ffiniau'n bethau cwbl bendant. Sylwch hefyd mai 'gwlad Llŷn' a ddywedir fwy nag unwaith yn y nofel, fel petai'r cantref yn rhyw ddarn annelwig i'r gorllewin o Borthmadog, tebyg i'r 'de Arfon' gwrthun, a'i ffiniau amwys yn ymledu fel inc ar bapur sugno.

Gellir newid terfynau gweinyddol, fel y gwyddom, ond ni all neb rwygo'r Plas Du gerfydd ei wreiddiau o drefgordd Pencoed a'i blannu yn Llŷn. Fel y dangosodd Dr Colin Gresham, ni fedrai unrhyw fro fod yn eglurach ei ffiniau: 'Pencoed lies in the heart of lowland Eifionydd to the south of Garn Bentyrch'. A'r diweddar G.J. Roberts, 'Wrth odre Carn Bentyrch rhwng Dwyfor ac Erch'. Hwyrach y bydd yn rhaid i ni, drigolion y cwmwd mwyaf hunanymwybodol yng Nghymru, beintio 'Cofia Eifionydd' ar graig a murddun, neu godi arwyddion swyddogol ar y ffin.

Rhamant mwyaf ein bywydau ni ydyw ein bod yn byw yn Eifionydd, ac y mae'r ffaith honno'n troi bywyd yn gelfyddyd. Yn Lloegr, darganfyddiad mawr beirdd ac arlunwyr y ddeunawfed ganrif oedd y teimlad rhamantaidd, a hynny'n golygu, yn un peth, rhoi sylw i fanylion, i le arbennig neu adeilad neilltuol. Yn ddiweddarach y daeth gwir ramantiaeth man-a-lle i Gymru: bodlonai Ceiriog ar 'nant y mynydd' neu'r 'mynyddau mawr', ond cyfeiriodd Parry Williams at 'y Pendist Mawr, yn ymyl Cwm yr Wyddfa', ac fe bersonolwyd y motor beic, KC 16, dwyflwydd oed.

Ganrif a hanner yn ôl yr oedd yr arlunydd Constable yn ymhyfrydu yn ei blwyfoldeb, ac yn arbenigrwydd ei fro. 'Y lle hwn a'm gwnaeth yn beintiwr' meddai, a mynnai William Blake mai gwaith ffyliaid oedd cyffredinoli (er ei fod yntau'n euog braidd o'r un bai wrth ddweud hynny). Am wybodaeth gyffredinol, daliai Blake mai dysg i ynfydion ydoedd.

Fel y dangoswyd yn Llandudno eleni, bu Turner yn darlunio llecynnau yng Nghymru yn union fel yr oeddynt ar adeg neilltuol, ac yn eu henwi cystal ag y medrai. Mewn un darlun o gastell Caernarfon mae plant yn chwarae yn y dŵr, ac mewn un arall dangosir ieir yn crafu ar lawr priordy Ewenni. Rhyfedd fel yr arhosodd ein syniad ninnau o'r rhamantaidd yr un fath ag yr oedd i Turner yn 1798. Er bod melinau yn gweithio yr adeg honno, ac mor gyffredin â garej ein dyddiau ni, hiraethai Turner yn eu presenoldeb fel yr hiraethwn ninnau am eu gorffennol. Portreadodd felin Marford, rhwng Caer a Wrecsam, a gellir gweld honno heddiw wedi ei hadnewyddu'n llwyr, yn rhamant parhaus.

Cyn hir bydd y beic B.M.W. mwyaf bygythiol a'r garej fwyaf diffaith yn ddefnyddiau amgueddfa, a'r Ffynnon yn cynnig llun o gerdyn banc 'i'ch trechu' [Cystadleuaeth yn Y Ffynnon i ddyfalu beth oedd diben rhyw gelficyn neu'i gilydd].

(Medi 1984)

Cipolwg ar Steil

Petawn yn gorfod dewis wyth cipolwg i'w cadw mewn cof fel y bydd alltudion yr Ynys Anial yn gorfod dewis wyth o recordiau, byddwn yn cynnwys dau a gefais yn ystod y mis a aeth heibio. Llong sydd yn y cyntaf, cip arni'n nythu ymysg tyrau llwydion yr olew rhwng môr a muriau yng Nghaernarfon. Shell Trader oedd ei henw, un fechan ysgwyddog ac atebol yr olwg, ac ymhen yr wythnos gwelais hi wedyn yn pydru mynd dan bontydd Menai, y bore tymhestlog hwnnw pan oedd llongau Matholwch yn methu cychwyn o Gaergybi ac amrantiad y goleuadau melyn yn neupen Pont Britannia.

Dyna'r llong ar y cei yng Nghaernarfon, a'r nesaf oedd y ffair ar y cei yn Hirael. Haf neu aeaf mae archfarchnad yn erchyll, llofftydd cadw ceir yn arswyd ac ysgolion yn codi croen gŵydd, ond erys atyniad rhyfedd ym mheiriannau a stondinau'r sioe. Ym mhen arall y culfor, ar draeth Hirerw, pethau sioe Simons yn eu hendref yn y glaw.

Mae'n anodd esbonio'r swyn: rhywbeth ynghylch eu siâp a'u lliwiau hwyrach, ond yn fwy na hynny – a dyna'r unig air – eu steil. (Mae'r gair yn ddiogel yn y geiriadur.) Y llynedd, drannoeth ffair gynta'r ha', syllwn ar un o gerbydau cawraidd Simons yn chwyrnu ei ffordd i fyny o'r maes yng Nghricieth mewn cwmwl o fwg diesel, ac yn llusgo dau arall ar ei ôl, yn drên o dri. Digon o steil i anwybyddu'r gyfraith.

Fe'u goddiweddais wedyn yn crafangio ar allt y Faenol dan ruo a rhygnu, ond eisteddai'r gyrrwr mor hunan-feddiannol ag Indiad ar war eliffant neu Esgimo'n gwarchod twll pysgota yn nhrwch y rhew. Hunan-feddiant llwyr, dyna ran o'r gyfrinach.

Ni ellir dychanu steil. Gellir dychanu'r athro a'r siopwr a'r swyddog a'r dyn yswiriant, ond nid y crefftwr na'r bugail na'r peiriannydd na'r llongwr na'r dyn ffair. Eto, mae steil wedi mynd yn beth prin. Yr oedd Dorothea Pughe-Jones, Ynysgain, yn ei feddu wrth edrych i lawr arnaf oddi ar ei cheffyl pan holai am le i gadw bytheiaid yr helfa ddyfrgwn dros nos, a hithau Catherine Priestley pan daflai'r dimeiau crynedig inni'n galennig o'r balconi yn y Trefan. Nid oedd tlodi'n anfantais o gwbl i'r gynneddf gyfrin hon, ac yr oedd aml i hen drempyn wedi ei urddo, fel petai.

Sgwrs rhwng dwy yn Woolworth echdoe: 'Mor falch fyddan ni o afal ac orenj a chnau. "Be wyt ti isio Dolig?" medda fo wrth yr hogyn, a wyddoch chi be ddeudodd o? Compiwtar. Ia, cofiwch'.

Na ddigalonnwn. Efallai y daw amser eto pan fydd dymuniad yr hogyn yn swnio mor rhyfedd â phetai wedi gofyn am Eiriadur Charles. 'Sut i ddewis cyfrifiadur yn anrheg Nadolig' meddai rhaglen radio neithiwr. Wel, efo cyfrifiadur, debyg. Y drud yn erbyn y gwir. Cefais dechnoleg gan fy nhad . . . Cyfoes a chanmoladwy iawn mae'n siwr, ond dim steil; dim gylfiniad, dim hyd yn oed ron-bach-igin.

(Rhagfyr 1984)

Enwadaeth a S.L.

Amser: 1935. Golygfa: cyntedd siop W.H. Smith ym Mhorthmadog. Siaradwr: Bob Owen, Croesor, 'Tydi hi'n biti bod y dyn yma wedi mynd at y Catholics'.

Amser: 1945. Golygfa: rhywle yn Eifionydd. Siaradwr: gweinidog efo'r Annibynwyr, 'Petawn i'n gorfod dewis, mi awn i at y Crynwyr, neu at Eglwys Rufain'.

Am Saunders Lewis, wrth gwrs, yr oedd Bob Owen yn sôn, ac mi hoffwn gredu mai pryderu yr oedd ynghylch yr ymateb ymhlith enwadau anghydffurfiol Cymru. Byddai galw hynny'n brotestaniaeth yn rhoi iddo ystyr gorfawreddog, efallai, gan fod yr enwadau erbyn hynny wedi hen galedu mewn rhagfarn yn erbyn ei gilydd, a'r teimlad yn erbyn Eglwys Rufain yn gymysg o ddrwgdybiaeth ac ofn.

Tua'r flwyddyn 1890, yr oedd y beirniad craff hwnnw, Caledfryn, yn traethu'n huawdl yn Y Genhinen am 'Philistiaeth yr Enwadau', ond yr oedd arno yntau ofn pob offeiriadaeth: 'Hanner can mlynedd yn ôl' meddai, 'person oedd ym mhob plwyf. Bellach mae hwnnw wedi troi yn offeiriad'.

Cyd-weithiwr i Galedfryn ar un o'i gylchgronau oedd yr arlunydd tanbaid Hugh Hughes, y mynnodd John Elias ei ddiarddel o Eglwys Jewin am iddo arwyddo deiseb i ryddfreinio'r Pabyddion. Nid oedd ar Hugh Hughes ofn unrhyw enwad na sect, a gallai daflu golwg ddychanol ar bob un ohonynt. Unwaith, ar un o'i deithiau, aeth i gapel yng Nghaerfyrddin, a darganfod mewn dau funud mai

Wesleaid oedd yno, oddi wrth eu sŵn!

'Does neb erbyn hyn yn rhoi munud i feddwl am enwadaeth, na neb, diolch i'r drefn, yn poeni sawl Pabydd sy'n Aelod Seneddol neu'n perthyn i'r Cabinet. A bod yn deg efo'n cenhedlaeth ni, yn debyg i hyn yr oeddem yn ymresymu: os oedd Lewis Valentine yn Fedyddiwr, rhoddai hynny fri ar y Bedyddwyr: os oedd J.E. Daniel a Tudur Jones yn Annibynwyr, enwad da oedd hwnnw hefyd, ac ni ellid gwgu ar yr Hen Gorff a allai gynnwys gwŷr fel J.R. Jones a Gwilym O. Roberts. Ac am Eglwys Rufain, onid oedd Eric Gill a David Jones a Saunders Lewis wedi ymroi iddi? Cadwedig oedd hithau felly. Agwedd debyg oedd gan y gweinidog ifanc a fedrai ystyried y Crynwyr a'r Pabyddion yn yr un ysbryd.

Y syndod oedd ein bod ni mor ymwybodol o S.L. cyn inni erioed ei weld na'i glywed na darllen ei waith. 'Dyn bach efo gwallt coch' meddai un o'r genethod yn yr ysgol, dros hanner canrif yn ôl, ac y mae'r diffiniad bach cwta hwnnw, hyd yn oed, wedi glynu yn y meddwl. Yr oedd pob mymryn o wybodaeth amdano yn aros yn y cof, i'w ychwanegu'n eiddgar at y darlun. 'Mae o'n mynnu talu am y gwin, a chitha'n gwybod na fedar o mo'i fforddio fo' (Ifan ab Owen Edwards a J.M. Howell yn sgwrsio amdano yn fy nghlyw ar y trên rhwng Bangor a Chonwy). Bu'n saethu ffesants yn Sir Benfro (Emyr Humphreys ar y radio), yn prynu caws ym Mhenarth (Harri Webb); yr oedd yn yrrwr gwyllt (O.M. Roberts, yn yr Herald), a hyd yn oed – dwn i ddim lle darllenais i hyn – yn smocio baco tra dewisol.

Dywedwyd y pethau pwysig amdano mewn papur ac ar radio a theledu, ond ar wahân i'w areithiau iasol a'i ysgrifennu cwbl eithriadol, mae rhywun hefyd yn cofio'r mân gyffyrddiadau, nad ei waethaf.

Garddwest yng Ngarthewin, haf 1942. J. Alun Pugh yn gorffen ei anerchiad a rhywun o'r gynulleidfa'n sisial wrth frysio am ei de, 'On with the show'. S.L. yn siglo chwerthin, yn blasu'r sylw a gwneud dihareb ohono drwy ychwanegu dau air: 'On with the show, meddai'r Cymro'. Bellach rhaid iddi fynd yn ei blaen hebddo, rywsut.

Ond sioe pwy? Y Swyddfa Gymreig yn tra-arglwyddiaethu ar Gyngor Môn, codi tai yn Llandwrog (i bwy?), ac un o gynghorwyr Arfon o blaid gosod 250 o garafanau yn Y Faenol rhag ofn iddyn nhw fynd dros y bont i Sir Fôn. Rhuthro arni i'w maeddu.

Coeliwch neu beidio, mae rhai pobol ifanc yn dweud 'y gwch' yn lle 'y cwch', ac yn Yr Herald Gymraeg wele bennawd: 'Paratoi'r gwch wynt'. Hwyrach nad y moch yn rhuthro ar y winllan sydd yma, ond mae nhw'n sathru'r blodau'n ddidrugaredd. Tynged yr Iaith?

(Medi 1985)

Dyn yr Abbey

Mynd am dro yr oedd y dyn ifanc, ym mhellafoedd gorllewin Iwerddon. Dechreuodd sgwrsio efo hen wraig yn ymyl drws ei bwthyn, a chael ei wahodd i mewn am gwpanaid o de. Wrth y tân, aeth yr hen wraig ymlaen i adrodd chwedlau, yr hen, hen chwedlau a fu ar gof gwlad am ganrifoedd, llên gwerin ar ei gorau. Adrodd chwedl o'r wythfed ganrif yr oedd hi, fel petaem ni yng Nghymru yn sôn am Daliesin neu Lywarch Hen, ond bod y stori mor fyw iddi yn ei dychymyg nes iddi orffen fel hyn, 'ac wedi i Cu Chulainn ladd ei elynion i gyd, dyma fo'n neidio ar y trên ac i ffwrdd ag o i Ddulyn'.

Yn dyn ifanc a wrandawai ar yr hen gyfarwydd yn gweu ddoe a heddiw'n un oedd Hugh Hunt (yr Athro Hugh Hunt) sy'n gymydog inni yn Eifionydd ers blynyddoedd bellach, a chanddo ef y cefais y stori. Fe'i gwelwch yn ei Citroen yn mynd i'r Eglwys ar fore Sul, o'i gartref yn Cae Terfyn, hen dŷ ffarm a helaethwyd i fod yn rheithordy gan Ellis Anwyl Owen a fu'n berson Llanystumdwy rhwng 1837 a 1846.

Ganed yn Camberley, Surrey, ac aeth i ysgol Marlborough a Choleg Magdalen, Rhydychen. Yn y brifysgol daeth yn llywydd y gymdeithas ddrama, yr OUDS. Ar ôl y rhyfel ef oedd cyfarwyddwr cyntaf y Bristol Old Vic, ac wedyn yn gyfarwyddwr yr Old Vic yn Llundain, lle bu rhai fel Edith Evans a Michael Redgrave ymhlith ei actorion. Yn 1955 fe'i penodwyd i sefydlu a chyfarwyddo'r mudiad theatr yn Sydney, Awstralia. O hynny y datblygwyd y tŷ opera hynod yn y ddinas honno, a chefais stori fach ddiddorol ganddo.

Gwahoddwyd ceisiadau gan benseiri drwy'r byd i gynnig eu cynlluniau, a bu'r pwyllgor wrthi am oriau yn craffu ar y ceisiadau ond wedi methu penderfynu ar unrhyw un. Mewn anobaith, rhoddwyd y gorau iddi a throi am y drws. Yn ymyl hwnnw, roedd cynllun bach diymhongar wedi ei lynu ar y pared, a rhwng difri a chwarae, meddai un o'r pwyllgorwyr, 'Beth am hwn?' Felly y bu, a'r llun bychan gan y pensaer o'r Ffindir a ddaeth yn sail un o adeiladau enwocaf ein canrif ni.

Pan aeth Hugh Hunt i Fanceinion i adran ddrama'r brifysgol, ceisiodd Sidney Bernstein ei ddenu i gwmni Granada, heb esbonio beth fyddai ei swydd. Pan ddeallodd ei fod yn mynnu aros yn y Brifysgol, cynnig nesaf Bernstein oedd 'I'll make you a professor'. Pan gafwyd Bernstein i ddeall na ellid 'gwneud' proffesoriaid, cyfrannodd £150,000 i'r brifysgol – ac yn wir fe ddyrchafwyd Hugh Hunt yn Athro'r Ddrama, y cyntaf ym Mhrifysgol Manceinion.

Gwnaethai gryn enw iddo'i hun gyda chynhyrchiad nodedig o King Lear yn Rhydychen, a phan hysbysebodd theatr enwog yr Abbey yn Nulyn am rywun i gyfarwyddo ochr Ewropeaidd y gwaith, ymgeisiodd yntau am y swydd. Anfonodd W.B. Yeats at John Masefield i'w holi ynghylch yr ymgeisydd, a chafodd eirda ganddo mae'n rhaid. Cyfweliad yn Nulyn wedyn, nad oedd fawr o help, meddai, ond ar y diwedd dywedodd Yeats wrtho am ddod i'w weld y noson honno yn Rathfarnam. Yr orchwyl gyntaf oedd chwarae <u>croquet</u>, chwarae nad oedd ganddo ddim crap o gwbl arno, ond gwelodd ar unwaith nad oedd yn ddim gan Yeats roi pwt bach slei i'r bêl ambell dro. Gan nad oedd y dyn ifanc yn protestio, cafodd y swydd fel rhywun hawdd i'w drin.

Bu am flynyddoedd yn gyfarwyddwr yn yr Abbey: yr

oedd y ddrama Wyddelig eisoes yn obsesiwn ganddo, ond wedi mynd yno i weithio y syrthiodd yn hollol mewn cariad efo'r wlad. Mae ganddo stôr o straeon am gymeriadau sy'n enwog drwy'r byd.

Sean O'Casey, y dramodydd, er enghraifft, wedi ei wahardd gan y sefydliad yn Iwerddon ac yn byw ar ffo yn Lloegr. Mentrodd yn ei ôl yn llechwraidd unwaith, dan ryw enw arall fel O'Halloran, ac wrth gerdded yn y wlad, cyfarfu ag offeiriad a gofyn iddo a wyddai ble câi gwpanaid o de. 'Dowch efo mi,' oedd yr ateb, 'ac mi gewch rywbeth cryfach na the'. Cafwyd pnawn bendithiol a droes yn ffrae gynddeiriog am grefydd rhwng yr offeiriad a 'Mr O'Halloran'. Wrth wahanu, estynnodd y gŵr eglwysig ei law iddo: 'Pnawn da, Mr O'Casey, ac mi ellwch fentro na sonia i run gair am hyn wrth yr Esgob'.

Dysgu, a dal i ddysgu yr oedd Hugh Hunt yn Iwerddon yn ôl ei dystiolaeth ei hun, a'r un a ddysgodd fwy na neb iddo am y wlad oedd yr awdur a'r gweriniaethwr Frank O'Connor.

Adnabod y wlad oedd yn bwysig, meddai O'Connor, a gorau po gyntaf yr anghofid am ramant niwlog a phob 'Celtigrwydd'. Eto, yr oedd yr ysfa chwedlonol yn bod o hyd. Gwelodd Hugh Hunt hen ŵr yn torri gwellt yn ymyl adfail Coole Park, cartref Lady Gregory a chrud y deffro mawr yn y theatr Wyddelig. Oedd yr hen ŵr yn cofio Lady Gregory? 'Cofio? Gyda'r nos mi allech weld ei dau lygad mawr hi'n disgleirio drwy'r ffenest acw a hithau'n sgwennu drama fawr i bobol Dulyn'.

Mae'n debyg, meddai Hugh Hunt, mai dau olau trydan oedd yno, ond nid ar chwarae bach y mae difa rhamant.

[Bu'r Athro Hugh Hunt farw ar 22 Ebrill 1993 yn 81 oed.]

(Tachwedd 1985)

Neb

I fod yn amwys, gellid taeru nad ysgrifennodd neb lyfr fel hwn o'r blaen yn Gymraeg. Naddo, wrth reswm, gan mai hunangofiant ydyw yn un peth, ond wedyn pwy a feddyliai am adrodd ei hanes ei hun yn y trydydd person, a pheidio â dweud 'fi' gymaint ag unwaith? Am 'y bachgen', 'y ciwrad', 'y rheithor' ac 'R.S.' y mae'n sôn.

Mae cyhoeddi llyfr gan R.S. Thomas yn ddigwyddiad o bwys, a chyhoeddi llyfr Cymraeg ganddo yn fater o gyffro. Daeth tuag ugain o'i gyfrolau o'r wasg erbyn hyn, ac yn eu mysg un cyhoeddiad Cymraeg arall, ei ddarlith 'Abercuawg' adeg Eisteddfod Aberteifi, 1976. Gallaf feddwl am gasglwyr llyfrau yn y dyfodol yn ymgiprys am y perl gwerthfawr hwnnw, heb sôn am ei waith barddonol a beirniadol cynnar yn y cylchgrawn Wales ddeugain mlynedd yn ôl.

Cyfrannodd hefyd i'r gyfres 'Y Llwybrau Gynt' yn 1972, a bu ganddo ysgrifau yn rhifynnau cyntaf 'Y Fflam' a 'Barn', ac yn ddiweddarach yn 'Taliesin', 'Y Faner' a 'Llanw Llŷn'.

Nid yw'r teitl 'NEB' yn syndod i'r rhai sy'n adnabod ei waith, ac yr oedd eisoes wedi rhoi 'H'm' yn enw ar un o'i lyfrau. Ac wrth gwrs y mae'n wirioneddol hoff o linellau byrion a geiriau unsill, ac yn debyg o ddechrau cerdd fel hyn:

Stopped the car, asked a man the way
To some place.

R.S. Thomas

Ond o'r diwedd dyma ei hunangofiant cyflawn, a hynny yn Gymraeg. Mi fyddai'n bosibl sgrifennu llyfr ar y broses o ddarllen llyfr, am y meddyliau sy'n codi i'r wyneb wrth ddilyn brawddegau'r awdur. Er enghraifft wrth sôn am ei dad yn forwr, a'r teulu'n ei ganlyn o borthladd i borthladd, yr wyf innau'n ail fyw'r cof cynnar am fynd yn llaw fy nhad rhwng talcen warws a'r bolardiau haearn ar ymyl y cei yn Lerpwl. Mynd i dalu cyflogau yr oedd, a'r morwyr wrth dderbyn eu pres yn gwenu fel athrawon (gynt) ar ddiwedd y mis. Mae pob hunangofiant da yn rhyw fath o hunangofiant i bawb.

Ar yr ychydig droeon y bûm dros y gefnen rhwng Llanfair Caereinion a Llangynog, yr enw Manafon fyddai'n tynnu sylw, er na throis erioed i'r chwith a mynd i weld y lle. Dyna'r lle bu R.S. yn berson am ddeuddeng mlynedd, lle dysgodd Gymraeg – er nad gan y trigolion – ac y rhoddwyd stamp neilltuol ar ran o'i farddoniaeth.

Fel Goronwy Owen, ni chafodd ddychwelyd i Fôn, i Ynys Cybi ei fachgendod, ond cafodd aros yng Nghymru, ym Manafon ac Eglwysfach ac Aberdaron, ar ôl sbel ar y goror ac ym Maelor Saesneg. Mae ei ddisgrifiad o'r 'lle bu'n gware gynt' ac yn arbennig ei berthynas gyda'i rieni, yn wreiddiol ac anghyffredin, fel yn wir y mae ei onestrwydd mawr a'i ofal wrth osgoi delfrydu. Mae ganddo droeon a theithiau sy'n symud fel ffilm ond yn fwy na dim byd arall mae ganddo'r peth hwnnw sydd wedi bod yn rhy brin mewn llawer o'n llyfrau, sef yr hyn y byddai W.J. Gruffydd yn ei alw'n 'artistri meddwl'.

Mae ei feddwl yn groyw ac yn glir ym mhopeth. Ac yn gweld ymhell. Wrth sgrifennu yn y trydydd person gallai ddweud 'gwraig y rheithor' yn lle 'fy ngwraig', heb sôn am arbed yr erchyllbeth 'y wraig' a welir weithiau yn Gymraeg. Meddwl manwl, di-dderbyn-wyneb. Clywais am brifathro yn peri i blant ysgol 'sgrifennu ato ef ac enwogion eraill i ofyn iddo nodi ei hoff emyn. Yr ateb a gafwyd oedd 'Does gen i ddim un'.

Neithiwr darllenais ei gerdd ddiweddaraf i'w chyhoeddi, myfyrdod ar Ann Griffiths, cerdd hir i'm cywiro pan oeddwn wedi meddwl dweud mai cerddi byrion sy'n ei nodweddu.

Rhoddais heibio'r bwriad o ddyfynnu o'r llyfr. Darllenwch o: darllenwch am Gaergybi a Bangor a Chaerdydd ac Iwerddon a Sbaen, a'r tyddynwyr a'r plwyfolion ac Aberdaron a'r adar, am rew mawr 1947, rheithordy Manafon a Sarn y Plas.

A dowch i adnabod un o brif feirdd yr iaith Saesneg heddiw sy'n adnabyddus drwy'r byd i gyd, ac yn Gymro. Bu bron imi ddweud 'fel chi a fi', ond rhyfyg fyddai hynny. Nid yw R.S. Thomas yn debyg i neb ond iddo fo'i hun.

(Chwefror 1986)

Arlunydd o Ganada

Roedd hi'n bwrw fel 'steddfod rai gweithiau y bûm ar dro
yn Oriel Eryri, Llanberis, ond yn rhesymol braf (am eleni) y
nos Sadwrn o'r blaen. Agoriad arddangosfa go anghyffredin
oedd yno, o ddarluniau Robert Harris (1849-1919). Ganed yr
arlunydd ym Mryn y Pîn yn Nyffryn Conwy, a bu gan y
teulu gartrefi ym Môn hefyd.

Saith oed oedd Robert Harris pan symudodd y teulu i
Ganada. Cafodd bob cefnogaeth i ddilyn ei brif ddiddordeb,
arlunio, a dyn cymharol ifanc ydoedd pan gafodd ei ethol yn
Llywydd Academi Frenhinol Canada.

Rhaid bod rhyw hinsawdd ffafriol i arlunwyr yn y wlad fawr honno. Mae'n wir fod yno feirdd a cherddorion a llenorion a dramodwyr, ond gwaith ei harlunwyr (er nad yw eu henwau'n rhy adnabyddus) a dynnodd fwyaf o sylw mewn gwledydd eraill, yn enwedig fel y cyflwynwyd eu cynnyrch flynyddoedd yn ôl gan Fwrdd Ffilmiau Canada.

Portreadwr oedd Robert Harris yn bennaf, ond tynnodd laweroedd o dirluniau bychain hefyd. Mae ar ei orau yn y llun a argreffir yma o'r parti canu. Yn y llun hwn mae'n hawdd teimlo'r pleser a gafodd wrth ddisgrifio'r llyfr yn llaw'r arweinydd, ac ymyl caead yr organ.

A'r cymeriadau? Wrth eu golwg gallent yn hawdd fod yn Gymry. Gwyddom am lawer o rai tebyg. O'r chwith i'r dde, mae cryn gamp ar wyneb a llaw'r arweinydd, a rhywbeth hynod yn safiad amyneddgar y ferch agosaf ato. Mae'r cyfeilydd hithau'n berson byw a'i gwallt a'r cudyn bach digrif dros ei thalcen cystal â dweud ei henw wrthym. Am y dyn mawr yn y cefn, llais bas mae'n siwr, ond mae rhywbeth ar ei feddwl heblaw'r canu. Merch gydwybodol yw'r alto(?) bryd golau, ond mae'r cip a geir ar y fechan y tu ôl iddynt yn dangos yn eglur ei bod hi'n gwybod eu cyfrinachau i gyd. Chwe portread cyflawn, ddywedwn i.

Dyma'r math o barti canu y byddai cymaint o fynd arno ym mlynyddoedd cynnar y ganrif hon, fel y byddai fy mam yn sôn amdanynt, yn dysgu dan arweinyddiaeth rhai fel Griffith Owen, Glanllynau ar gyfer rhyw gyfarfod cystadleuol o gwmpas organ fechan yn Nhanrallt, Afonwen.

Oriel Eryri yw'r oriel fwyaf manteisiol ei hadnoddau yng ngogledd Cymru. Mae hi'n un o ddwy a ddosbarthwyd i'r radd uchaf oll, cymwys i arddangos darluniau sy'n gofyn y safon fwyaf llym o ddiogelwch a gofal. Costiodd yr adeilad ddwy filiwn o bunnau.

Go brin fod neb yn cofio – neu wedi clywed – am Robert Harris nes i'r Dr Llŷr Gruffydd pan oedd ar ymweliad â

Chanada, sylwi ar ei enw a chyfeiriad at Ddyffryn Conwy mewn catalog darluniau yno. Does neb yn sylweddoli chwaith ffasiwn lafur a thraffferth y mae cynnull casgliad o waith diarffordd yn ei olygu.

Daeth cynrychiolwyr o Ganada yr holl ffordd i'r cyfarfod yn Llanberis, ac agorwyd yr arddangosfa gan Ddirprwy Uchel Gomisiynydd Canada yn Llundain.

(Mehefin 1986)

Pontydd

Mae gan John Ormond gerdd dda iawn am adeiladwyr yr eglwysi cadeiriol mawr, y dynion di-sôn amdanynt a fu'n llafurio dan ddaear ac yn yr entrychion heb glod nac enwogrwydd. Ddiwrnod cysegru un o'r Cadeirlannau, ar odre'r dyrfa a ddaeth i rythu ar liwiau a phanopli'r esgobion, mae un o'r dynion bach, yn llawn crydcymalau erbyn hyn, yn mwmial wrtho'i hun yn llinell olaf y gerdd: 'I bloody did that'.

Gan mai gof oedd Myrddin Fardd wrth ei alwedigaeth, buasai rhywun yn disgwyl iddo roi mwy o sylw i grefftwyr yn ei Enwogion Sir Gaernarfon, ond na, yn ôl ffasiwn y cyfnod, mae rhywun yn 'enwog' os printiwyd rhai o'i linellau ar bapur, ond heb haeddu sylw yn rhinwedd ei gyfraniad fel gof neu saer maen, neu saer coed. Dim sôn, er enghraifft, am Owen Gethin Jones, athrylith o saer coed a saer maen, a fu'n gyfrifol am y ffordd haearn o Fetws-y-coed i Ddolwyddelan, a chodi'r bont ryfeddol o naw bwa ar hugain a adwaenir o hyd fel 'Pont Gethin'. Yr oedd hefyd yn llenor a hynafiaethydd.

Un o deitlau'r Pab yw 'Pontifex Maximus' neu Ben Saer Pontydd, teitl sy'n cydnabod pwysigrwydd y grefft, yn ffigurol o leiaf. Ychydig a wyddom am adeiladwyr prif bontydd Eifionydd, yn enwedig y pedair prif bont yn y filltir sgwâr ar rannau isaf Dwyfor a Dwyfach. Cynhwysir Pont Llanystumdwy a'r Bont Fechan yn rhestr Comisiwn yr Henebion, ond nid y ddwy arall, pontydd Rhyd y Croesau a Rhydybenllig.

Yn ddiweddar, drwy garedigrwydd Gwilym Iestyn Owen, cefais gip ar yr hanes am godi pont Rhydybenllig sydd ar gael yn archifau Gwynedd. Fe'i codwyd dros gant a hanner o flynyddoedd yn ôl, a gorffen yr holl waith mewn saith mis. Un tudalen yn unig o gyfarwyddiadau a gafodd yr adeiladydd gan syrfëwr y sir, a hynny yn Saesneg, ond wrth arwyddo'r ymgymeriad ni fedrai Robert Parry dorri ei enw, mwy na llawer o'i gyfoedion, a dim ond croes ('the mark of') sydd ar ei gyfer.

Robert Parry o'r Sgubor Fawr oedd y saer pontydd rhyfeddol hwn, a thybed mai ef hefyd a wnaeth bont Rhydycroesau? Lle hefyd y dysgodd ei grefft? Fel gyda'r eglwysi mawrion gynt, mae'n rhaid bod traddodiad parhaus o godi pontydd, o wybod y gofynion a'r dirgelion nas gofynnid amdanynt yn amlach nag unwaith mewn canrif efallai.

Yn Rhydybenllig bu'n rhaid troi cwrs yr afon tra buont yn turio i ddyfnder o bedair troedfedd dan ei gwely i osod sylfeini i'r ategau uchel sy'n cynnal y bwa llydan gosgeiddig. Cyfrifoldeb yr adeiladydd hefyd oedd gofalu am y ffordd drosti ac ati am hanner blwyddyn ar ôl gorffen y bont, a chodi bwâu bychain dros ffrwd y felin.

Nid oes i bont Rhydybenllig amlygrwydd pont y pentref, dirgelwch Rhyd y Croesau na chysylltiad hanesyddol fel un y Bont Fechan a'r Hen Gapel, ond mae iddi harddwch mawr a bu'n rhan o gymdogaeth glyd a gynhwysai Dy'n Lôn a'r

Felin, a oedd hefyd yn dyddyn taclus. Cofiaf fod yno'n torri sgubau ar ddiwrnod dyrnu, yr ail o Ragfyr, 1941, diwrnod heulog braf.

Amser te, y prif siaradwr y diwrnod hwnnw oedd William Jones, Gorslwyd, a'r stori oedd ganddo ar y pryd oedd y llwynog o 'liw tywyll' a welsai yn ymyl yr afon. 'Pry coed oedd o', meddai, 'ond bod hen gyll yn rhwystro iti weld o'n iawn'.

Ac yn wahanol i'r felin delynegol enwog honno yn Nyfed, nid yr elfennau a barodd y newid ym Melin Rhydybenllig, ond y gelyn arall hwnnw, cyfoeth.

(Medi 1986)

Dau Arlunydd

Heddiw [7 Hydref], prynu papur dyddiol am y tro cyntaf ers blynyddoedd. Mater o chwilfrydedd, neu o fod yn ysglyfaeth hawdd i hysbysebu clyfar oedd hyn. Wel, mae'r 'Annibynnwr' newydd, Rhif 1, yn darllen yn ddigon rhesymol a chall, er bod y peirianwaith electronig sy'n cysodi'r papur a gostiodd un filiwn ar bymtheg o bunnau i'w sefydlu yn medru chwarae'r un triciau ag a welid mewn unrhyw bapur arall. Trowyd rhai geiriau'n gybolfa annealladwy, a llwyddodd y peiriannau mewn un hysbyseb grand sy'n llenwi tudalen gyfan, i droi llythyren 's' yn groes, y tu ôl ymlaen, a hynny mewn print go fras. Pa mor annibynnol y bydd papur y gall un o'i gyfranddalwyr fod yn berchen ar werth £160,000 ohono, sydd fater arall, a hwyrach y gwelwn eto mai rhai o'r hen fugeiliaid sydd ar y papur newydd hwn.

* * *

Yn ôl at bethau nes atom. Ar hyn o bryd y mae gan Claudia Williams a Gwilym Pritchard (merched yn gyntaf) arddangosfa o'u gwaith yn Oriel Glyn y Weddw, ac y mae'n hen bryd rhoi iddynt eu priod le fel arlunwyr o wlad Eifionydd. Ganwyd Gwilym yma, wrth gwrs, a daeth hithau Claudia yma pan oedd yn ddisgybl mewn ysgol i ferched yn ne-ddwyrain Lloegr. Ei thad oedd wedi gweld hysbyseb am dŷ ar werth yn ymyl stesion Llangybi, a heb oedi dim daeth yno o Surrey efo'r trên, a'i brynu.

Gwilym Pritchard : Gaeaf

Tipyn o beth yr adeg honno oedd symud o ysgol ferched yn Surrey i deithio bob dydd o Langybi i Ysgol Sir Penygroes. Mewn cystadleuaeth genedlaethol o waith plant ysgol yr oedd hi wedi ennill y wobr gyntaf am ei darlun 'Godro'. Cyfnod go gyffrous ym myd celfyddyd yr ysgolion oedd y blynyddoedd yn union wedi'r rhyfel, a chludodd Claudia beth o'r cyffro gyda hi i'r coleg. Priododd Gwilym Pritchard wedyn, ac aeth y ddau i fyw ym Môn.

I ramantwyr (fel fy hunan, mae arnaf ofn) mae rhyw swyn rhyfedd yn y syniad o ymfudo o Eifionydd i Fôn, mwy o swyn na phetai rhywun yn mynd i Tahiti neu Nepal, er nad oedd rhamant ar y pryd i'r Prisiart arall hwnnw yn Eifionydd yn y ddeunawfed ganrif, William Prichard, Glasfryn Fawr a drowyd allan o'i dŷ a'i dir am ei anghydffurfiaeth, a chael lloches o'r diwedd ar yr ynys.

Mae gennyf un darlun o waith Claudia a beintiodd pan oedd yn byw yn y Gorswen, llun hanesyddol erbyn hyn ar lawer ystyr. I'r ymchwilydd i'w gwaith, mae'n arwydd o'r cyfnod pan oedd hi'n peintio tirluniau. Cefnau'r tai yn ymyl yr hen stesion sydd ynddo, ac un peth hanesyddol arall – un o bolion signal yr LMS. Credaf iddi bortreadu'r lle ar ddiwrnod gwlyb o haf, tebyg i eleni, pan oedd dail y coed ar eu llawn dwf ond yn unlliw drwm, a'r tir corsiog rhwng gwyrdd y brwyn a melyn y gwellt.

Erbyn diwedd y pumdegau, Gwilym oedd yn amlwg am ei dirluniau a hithau erbyn hynny wedi troi at ei gwir elfen, ei phortreadau a'i chyfansoddiadau o ferched a phlant. Ac erbyn hynny, prin bod unrhyw arddangosfa nac oriel o bwys yng Nghymru heb gynnwys gwaith y ddau. Bu iddynt le amlwg am flynyddoedd yn arddangosfeydd yr Eisteddfod, a bu'r ddau ohonynt yn hynod o benderfynol a chyson a chynhyrchiol. A hyn sy'n bwysig: ni bu llwyddiant y naill yn rhwystr na thramgwydd o gwbl i'r llall.

Clywyd merched o arlunwyr yn cwyno'n aml na fedrent fynd ymlaen oherwydd gofalon a chadw tŷ, a hynny'n ddigon gwir fel rheol, ond magodd Claudia bedwar o blant heb laesu dwylo ynglŷn â'i galwedigaeth. Os edrychwn ar eu gwaith diweddaraf, gwelwn fod Gwilym yn dal i weld esgyrn y ddaear dan groen y paent, a Claudia'n mynd o nerth i nerth yn ei chyfansoddiadau. Mae'n debyg mai hi ydyw'r lliwiedydd gorau yng Nghymru ond at hynny y mae ganddi synnwyr pen a dyfnder teimlad. Mae un o'i champweithiau heb ei ddangos yng Nglyn y Weddw gan ei fod eisoes wedi ei werthu. Cyfeirio'r wyf at y panel mawr 'Gwylnos Heddwch'. Fe'i seiliwyd ar y merched a'r plant yng Nghomin Greenham, ac y mae'n waith nerthol a dwys . . . Un o'r lleiafrif penderfynol oedd William Prichard, Glasfryn Fawr, anghydffurfiwr a welodd ei argyhoeddiad yn dwyn ffrwyth, ac yn tyfu'n fwyafrif yng Nghymru.

Pa bryd tybed y gwireddir gobaith a gwir annibyniaeth Comin Greenham?

(Hydref 1986)

97

Cardiau Post

'Dear David. Mae mam eisiau iti yru dy drowsers adref hefo post nos yforu (friday) gael iddi gael eu drwsio dydd sadwrn ai anfon iti erbyn ddechrau yr wythnos I am Nellie'.

Dyma neges ar gerdyn post a gafodd hogyn o Lanbedrog a weithiai (yn ôl y cyfeiriad) ar lein bach yr Wyddfa yn Llanberis, a gellid dibynnu arno ei gael erbyn 18 Mawrth, 1910, gan mai MR(19)10 sydd ar y marc post dros wyneb gwyrdd Edward Saith ar y stamp dima. Yr oedd sicrwydd yr adeg honno y byddai hyd yn oed gerdyn stamp dima yn cyrraedd pen ei daith fore trannoeth, ac y byddai'r trowsus hefyd yn dychwelyd gyda'r troad.

Cri o'r galon sydd ar gerdyn arall, a bostiwyd yn Chwilog ar 22 Awst, 1906: 'Anwyl chwaer mae Cadwaladr yn dyweud y gyrith o rhyi eraill dydd Gwener chai i ddim dwad ir eisteddfod ddim un waith. anwyl chwaer Dora'.

Ni wn i pwy oedd piau'r enwau sydd ar laweroedd o'r hen gardiau post sydd yma o'r cyfnod hwnnw, a gasglwyd oherwydd eu lluniau o wahanol lefydd, na phwy oedd y John Roberts a anfonodd y gair hwn at fy nhaid yn 1907: 'Yr ydwy wedi gwerthu y merlyn ydwy John Roberts'.

Mae swyn rhyfedd yn y lluniau ar yr hen gardiau post. Aberdaron (1905) a mul yn sefyll ar ganol y lôn; Cricieth (1904) a gwesty'r George heb ei helaethu; car FF 133 ar y stryd yn Harlech, a thrigolion Nefyn yn syllu i lygad y camera yn Stryd y Ffynnon.

Blynyddoedd teyrnasiad Edward y Seithfed oedd oes aur

y cardiau post. Pan ddechreuodd y post ceiniog ym Mhrydain ni cheid postio cardiau heb eu cynnwys mewn amlen, ond wedi i Swyddfa'r Post ildio ei monopoli mewn cardiau a stamp arnynt yn 1894, daeth bri aruthrol ar y cardiau y gellid eu hanfon am ddima.

Daeth casglu 'posciats' yn hobi, a lamodd ymlaen pan ddaeth yn gyfreithlon yn 1902 i sgrifennu neges ar gerdyn, yn hytrach na'r enw a'r cyfeiriad yn unig. Erbyn hynny yr oedd maint safonol i gardiau, a gellid prynu albwm a holltau parod yn ei ddalennau.

Mae'r gafael a gawsai addysg Seisnig yr ysgolion elfennol yn amlwg ar iaith y gohebwyr. Sgrifennai'r un rhai weithiau yn Saesneg ac weithiau yn Gymraeg, er eu bod yn uniaith Gymraeg o ran eu meddwl – 'mother not half well' ac ati. Ac meddai rhywun mewn neges at Miss Maggie Jones, athrawes Ynys yr Arch (Pantglas school, Upper Clynnog ar y cerdyn): 'How is the Diwygiad getting on there'? gan droi i'r Gymraeg am un frawddeg. 'Yr oeddym yn derbyn 32 i'r seiat nos Iau diwethaf'. Wrth gwrs, 1905 oedd y marc post.

Yn fuan iawn daeth ffotograffwyr lleol, fel F.H. May ym Mhwllheli a John Griffith yn ddiweddarach yn Llanystumdwy, i brintio esiamplau o'u gwaith ym maint y cerdyn post safonol, sy'n archifau gwerthfawr erbyn hyn. Heddiw rhaid talu punnoedd am rai cardiau cyffredin nad oedd eu pris gwreiddiol ond dwy neu dair ceiniog.

Cedwais gardiau a gyrhaeddai o bedwar ban byd pan oedd fy nhad ar y môr, (yn Saesneg y byddai ei gyfarchion yntau weithiau hefyd), ac nid oes arwydd hyd yn hyn fod yr hen arfer ar drai. Wrth i'n cymdogion a'n cydnabod ffoi ar eu gwyliau i Greta a Chernyw a Sweden a Sbaen, mae'r cardiau lliwgar yn dal i gyrraedd. Ond go anaml y cawn rai mwyach o Langwnadl neu Lannerch-y-medd.

(Rhagfyr 1986)

Portread Kyffin

'Dwi'n cofio be fyddwn i'n licio gael. Roedd gynnyn nhw ryw swiss roll mwya rhyfeddol, ro'n i'n mwynhau honno,a phanad o de dda. Hanner coron, panad o de a swiss roll, y swiss roll yn fwy o werth na'r ddau arall efo'i gilydd.'

Dyna fel y mae Gwilym Iestyn Owen yn blasu'r cof amdano'i hun yn mynd i eistedd i Kyffin Williams wneud y portread hwn ohono. Golygodd hynny dri ymweliad,

100

dwyawr ar y tro, a'r wobr fyddai'r gacen a'r te a'r hanner coron.

Ar ôl cyfnod o ddeng mlynedd ym Mhlas Gwyn, Pentrefelin, symudodd teulu Kyffin i Ddoltrement, Abererch, ac aeth yntau i weithio yn swyddfa Yale a Hardcastle ym Mhwllheli. Erbyn blynyddoedd y rhyfel, ac yntau'n swyddog yn y fyddin, cofir amdano'n darllen y llithoedd yn yr Eglwys gydag awdurdod ei linach o hen bersoniaid a chyda Saesneg dieithr Ysgol Amwythig. Mynnai ddewis y llithoedd i'w ddarllen, o rannau ffyrnicaf yr Hen Destament fel rheol.

Oherwydd afiechyd, bu'n rhaid iddo roi'r gorau i'w yrfa filwrol, a'r cyngor a gafodd gan feddyg oedd mynd yn arlunydd. Dechreuodd bortreadu plwyfolion y Berch, ac yr oedd yn chwech ar hugain oed pan wnaeth y portread o Gwilym Iestyn Owen, y sylwedydd craff sy'n adnabyddus drwy Gymru am ei sgyrsiau radio ar y rhaglen 'Rhwng Gŵyl a Gwaith'. Pedair ar ddeg oedd ei oed yn 1944, pan beintiwyd y llun, ac nid oedd wedi ei weld ers hynny nes imi ei ddangos iddo yng nghatalog yr arddangosfa fawr o waith yr artist sydd i'w gweld ar hyn o bryd yn yr Amgueddfa Genedlaethol. Y portread hwn yw Rhif 1 yn y casgliad o 135 o weithiau sy'n ymestyn dros ddwy flynedd a deugain.

Un o blant y pentref sydd yn Rhif 2 hefyd, Medwen Roberts – Medwen Davies, Pengarnedd, Mynydd Nefyn, heddiw, a gorwyres i Evan Jones, cipar y Gwynfryn gynt. Mae Medwen yn amau'r dyddiad 1946 sydd i'r llun yn y catalog, ac yn meddwl y dylai fod yn ddiweddarach, ond atgof am fwynhau cael mynd i eistedd i'r arlunydd sydd ganddi hithau. Cofia am ei fam fel gwraig fonheddig iawn, a bod yr ystafell yn llawn o drugareddau. Portreadwyd amryw o'r trigolion, ac y mae un arall ohonynt yn yr arddangosfa, sef Tom Owen 'y dairy' (yn Broomhall) neu 'cow-man' fel y nodir ef gan Kyffin yn ei hunangofiant.

Wrth arloesi fel hyn yn Abererch yr oedd K.W. yn cyfrannu at draddodiad arlunio go arbennig a fu'n bod am ddwy ganrif yn y plwy. Un oddi yno oedd Griffith William, tad Moses Griffith, un o brif arlunwyr Cymreig ei gyfnod. Yn Nhŷ Newydd, Penclogwyn, y ganed John Roberts, Ellis Owen Ellis ym Mryn Coch, a William Ellis Jones (Cawrdaf) yn Nhyddyn Siôn yn yr un plwy. Yn llawer diweddarach gwelais innau'r un duedd a gallu gan rai fel John Morris Williams, Penbryn Huddug, a Joanne Bott.

Bu Kyffin Williams am flynyddoedd yn athro yn Llundain, ac y mae'n ddiddorol mai ef yw'r unig athro ysgol erioed i'w ethol yn aelod o'r Academi Frenhinol. Mae Gwilym Iestyn Owen a Medwen Roberts yn sylweddoli iddynt fod yn destunau i'r hoffusaf o arlunwyr Cymru sy'n ddyn di-ymffrost hefyd, ac yntau ers dwy flynedd yn y safle bellennig honno o fod yn Ddirprwy Raglaw Sir Gwynedd.

[Yn ddiweddarach, ymhen deugain mlynedd a mwy ar ôl ei baentio, rhoes Syr Kyffin Williams y portread yn anrheg i Iestyn. Dyma'r llun cyntaf erioed i'r arlunydd ei anfon i gystadleuaeth. Enillodd y brif wobr amdano ac ymhen blynyddoedd dywedodd mai hwn a roes iddo'r hyder i ddal ati i baentio.

Erbyn hyn, ysywaeth, y mae Gwilym Iestyn Owen mewn cartref nyrsio yng Nghricieth. Ni all fwynhau'r llun mwyach, ond mae hwnnw wedi ei gadw'n ddiogel ymysg ei bethau.]

(Mawrth 1987)

Manhattan '45

Go brin bod llawer o'r papurau bro, nac unrhyw bapur Cymraeg arall o ran hynny, yn derbyn copi adolygu o lyfr a gyhoeddir gan Wasg Prifysgol Rhydychen yn Efrog Newydd a chan Faber & Faber yn Llundain, a'i dderbyn cyn dyddiad ei gyhoeddi. Gan edrych ymlaen bythefnos, gallaf siarad yn y presennol a sicrhau ei fod bellach wedi ei gyhoeddi ar yr unfed ar ddeg o'r mis hwn [Mai 1987]. Y mae'r Ffynnon yn ffodus, er nad i'r cyhoeddwyr mawr y mae'r diolch chwaith, ond i'n cymydog hynaws a'r awdur bydenwog Jan Morris, ac nid am y tro cyntaf.

'Manhattan '45' ydyw enw'r llyfr, ac fe'i rhestrir yn y llyfrgelloedd fel llyfr hanes, ond na phetrused neb sy'n amau llyfrau hanes gan fod y gair yn yr achos hwn yn golygu'r hanes sydd gennych ar ôl bod ar daith neu ar eich gwyliau. Er hynny, mae iddo hanes ym mhob ystyr i'r gair. Yn fras, dewisodd yr awdur edrych yn ôl ar ddinas enwocaf y byd ar adeg neilltuol yn ei rhawd, sef y flwyddyn 1945, a llunio portread o'i chalon a'i chanol, 'ynys' Manhattan, ar funud un o'i huchafbwyntiau ac ar drothwy . . . wel, trothwy beth? Os cyrhaeddwyd uchafbwynt, ac os oes ystyr o gwbl i'r gair, mae'n awgrymu mai dirywiad sydd i ddilyn.

Fe'm cywirwyd unwaith gan yr awdur am ei galw'n ysgrifennwr llyfrau taith, ac er bod y nodyn ar siaced y diweddaraf hwn o'i llyfrau'n defnyddio'r disgrifiad hwnnw, prysuraf i egluro mai ein tywys i un lle y mae hi'r tro hwn,

Jan Morris

a'i ddehongli inni o'i gŵr, o'r llong yn glanio hyd at y cymeriadau amlycaf – a'r distadlaf hefyd.

Rhaid imi droedio'n ofalus rwan, a chymryd pwyll wrth awgrymu mai ymchwil am baradwys sydd gan Jan Morris yn ei llyfrau, ond paradwys yn ei ystyr gwreiddiol, yr ardd gaeëdig, y wladwriaeth gryno, yr ynys. Prysuraf eto i bwysleisio mai un agwedd ar ei gwaith yw hynny, gan ei bod hi gyda'r mwyaf agored, eangfrydig ac anfeudwyaidd o awduron. Mae ynddi ormod o hiwmor i ddymuno gweld cyfyngiadau ar neb, ac y mae'n llwyr amhosibl meddwl amdani'n byw yng Nglynllifon neu'r Faenol neu'r Penrhyn dan yr hen drefn, nac yn cyflogi cipar na beiliff na stiward stad, er y buasai'n cael cysur garw yn hylltod anhygoel Castell Penrhyn, fel ag yn rhai o nodweddion mwyaf anhygar Manhattan.

Eto, cofiwn am ei phennod ryfeddol yn ei llyfr mawr ar Gymru, lle dychmygir Machynlleth yn brifddinas, nid o fewn muriau, mae'n wir, ond yn lle cyflawn a digonol a gorffenedig – yn galon Cymru. Hi oedd y gyntaf ar ôl Owain Glyndŵr i synhwyro'r posibiliadau.

Cofiwn hefyd am ei nofel 'Hav', am wlad fechan gyda'i harferion ei hun – nid rhai nefolaidd i gyd chwaith – nad oes modd mynd iddi ond o'r môr a thrwy un twnnel. Nid annhebyg i Manhattan erbyn meddwl.

Trwy gyd-ddigwyddiad, newydd ddarllen ysgrif Gavin Young am harbwr Efrog Newydd yr oeddwn pan agorais y llyfr newydd a phlymio i'r un olygfa. Ac o sôn am harbwr, beth am y disgrifiadau hyn: 'Ar ôl dod trwy'r culfor, egyr yr harbwr mawr o'n blaen, Brooklyn ar y dde gyda phir ar ôl pir yn un rhes, ac ynys hirgul Manhattan y tu draw . . . Nid oedd yr Americanwyr yn y rhyfel yr adeg honno, a syndod inni oedd gweld pobman mor olau ar ôl tywyllwch trefi gwledydd Prydain'.

John Jones Williams, y 'Llongwr o Ros-lan' biau'r geiriau, yn ei bennod ar ymweld ag Efrog Newydd, ac er mai am flynyddoedd y Rhyfel Mawr y mae'n sôn, y mae'n annaearol o debyg yn ei ddisgrifiadau i'r rhai sydd gan Jan Morris o Times Square, Broadway, y bobl yn dylifo o'r sinemau a'r theatrau, ac yntau John Jones Williams, yn colli'r ffordd.

Un bennod nodedig sydd gan y llongwr am y lle, ond aeth Jan Morris ar drywydd pob cymeriad a sefydliad ac adeilad ac arferiad mewn dau gant a deg a thrigain o dudalennau. Mae'n sylwedydd digymar, a chanddi gymaint dileit mewn injan drên ag mewn hyd sgert, mewn gyrrwr tacsi ag yn y Maer La Guardia. Ac er nad nofel mo'r llyfr, bydd ambell gymeriad y ceir cip arnynt yn y penodau cyntaf yn codi eu pennau eto cyn diwedd y llyfr. Un peth arall, mae'r nodiadau gwaelod-dalen yn fachog a difyr bob tro, ac yn gyfeiliant cyfrwys i'r hanes i gyd.

Stori am ynys o le, felly, mewn ynys o amser – ond cyfandir o lyfr.

Jan Morris, *Manhattan '45* – Faber £12.50

(Mai 1987)

JGW

Dyna fel y byddai'n arwyddo ei waith, a gwn y byddai ei lygad craff yn gwerthfawrogi'r union ddewis o lythyren hefyd. Yn rhyfedd iawn, y prynhawn hwnnw, rhyw awr cyn clywed am ei farw, yr oeddwn yn edrych ar dair llythyren ei arwydd ar y map o Eifionydd a luniwyd ganddo, yng nghyfrol rhestr testunau Eisteddfod Bro Dwyfor 1975. Pan soniais mewn rhyw bwyllgor ym Mangor fod yn rhaid imi fynd yn gynnar i'r angladd, dyma eiriau'r bardd a'r cyn-archdderwydd Jâms Nicholas: 'Llenor mawr . . . llenor <u>mawr</u>'.

Edrych yn ôl dros drigain mlynedd, a dal i weld y llun

sydd wedi glynu yn fy meddwl ar hyd y blynyddoedd. Mae'n tynnu at naw o'r gloch y bore, o flaen ysgol y pentref, ond mae'n fore gwahanol. A'u cefnau ar wal yr ysgol, a golwg ofnus yn eu llygaid, mae dau hogyn bach diarth, Jac a Wil, fel y daethom i'w hadnabod. Maent hwythau'n wahanol. Hetiau bach brethyn am eu pennau, a thrwsusau'n cau dan y pen-glin, gwisg hogiau o wlad arall, hogiau o wlad Llŷn.

Lluniau eraill. Wil ei frawd a minnau yn mynd i edrych am Jac yng ngharchar Walton [fe'i carcharwyd 'am wrthod cydnabod hawl Llywodraeth Lloegr i osod gorfodaeth filwrol ar Gymru'], ac wrth ddynesu at y porth yn dyfod wyneb yn wyneb ag ef yng nghwmni un o'r ceidwaid, ar ei ffordd i drwsio un o'r tai. Yr oedd gwŷr y carchar eisoes wedi gweld ei werth. Fe'i symudwyd i garchar Strangeways, ac o'r pedwar a fu ym Manceinion yn disgwyl i'r drysau agor i'w ryddhau ar fore cynnar a thywyll, nid oes ond fy hunan yn aros erbyn hyn.

Buan iawn y byddai pawb yn gweld ei werth. Fel y sgrifennaf hyn, clywaf sŵn corn siarad o gar yn mynd dros y bont, ddeuddydd cyn y lecsiwn, ac uchel atsain 'Plaid Cymru, Plaid Cymru' ar furiau'r eglwys. Ni bu aelod purach na ffyddlonach iddi na J.G.W., a chanfasio drosti yr oedd, â'i holl egni fel arfer, yn ei ddyddiau olaf. Pan gefnogai achos, rhoddai bopeth iddo, gorff ac enaid. Aeth yr holl ffordd i faes etholiad Glyn Ebwy, a daliaf i gredu mai ymdrechion Jac a barodd i Phil Williams fod mor agos i ennill y sedd. Bu ym mhrotest fawr Cymdeithas yr Iaith yn Abertawe, yn cael hanner ei dagu gan blismyn, a phan ddechreuodd pethau ymysgwyd ym Môn, yno yr aeth yntau i weithio dros Ieuan Wyn Jones.

Gallai pobl Dyfed a Phowys a Gwent ymateb iddo, a synhwyro ei ddawn. 'Meddwl da', meddai cyfaill o Sais amdano, ac meddai un o feibion Eifionydd a fu'n gydgarcharor yn Walton: 'Pan fydd Jac wedi darllen rhywbeth, mae'r cynnwys wedyn ar flaenau ei fysedd'. Gwir iawn, ac y mae'n werth cofio ei fod ymhlith y rhai di-lefel-O a di-lefel-A, fel y gellid dweud hefyd am y rhai yr wyf fwyaf dyledus iddynt ymysg trigolion y fro. Pan fu'n gweithio am ysbaid i gwmni trydan tua'r Penrhyn, cofiaf am y boen a'r euogrwydd a deimlwn wrth ei weld yn mynd ymlaen ar y trên, a ninnau'n cael mynd i lawr i fynd i'r ysgol yn y Port.

Ond nid oedd arno angen addysg ffurfiol, gan fod ei athrylith yn gynhenid. Meddyliwch am hogyn o saer coed yn prynu cyfrol fawr Gwasg Gregynnog, cyfrol T. Gwyn Jones o Weledigaethau'r Bardd Cwsg. O'r tipyn cyflog medrai fforddio moddion ei ymroddiad: papur a phaent a llyfrau ac inc. Nid yn unig yr oedd yn mwynhau cyfansoddi, ond yr oedd yn mwynhau'r weithred o sgrifennu hefyd. Sgrifennai lythyrau ataf drwy'r pedair blynedd y bûm ym Mangor, a chedwais bob gair ohonynt, drwy drugaredd. Sylweddolwn eu bod yn llythyrau llenor, er mai ymhen blynyddoedd wedyn y gwelwyd cyhoeddi ei waith.

Treuliasom gannoedd ar gannoedd o oriau yng nghwmni ein gilydd, a chrwydro bryniau a choedydd a glannau Eifionydd a Llŷn. Fe'm cyflwynodd i'w hen fro ar y pentir, yn Llangwnadl ac Anelog, a hynny ar adeg pan deimlem mai ni oedd piau'r wlad. Cyn y rhyfel, ni symudai dim yn Anelog ond brig y gwair yng nghryndod y tes, ac ni chlywid sŵn ond nodau dyfnion corn Enlli ar ddiwrnod o niwl. Addolai yntau Eifionydd gyda'r un angerdd.

'Os oes gennych droedfedd sgwâr o dir yn Eifionydd' meddai wrth gadeirio darlith Colin Gresham ar Deulu'r Trefan, 'gwnewch yn berffaith siwr nad eith hi ddim o'ch gafael chi'. Dyna'r ceidwadwr o genedlaetholwr. Mynegodd y cyfan mewn gair ac mewn darlun – ac yr oedd yn ddarlunydd eithriadol, yn feistr ar gelfyddyd pin ac inc mewn dull nad oedd yn ddyledus i neb am ddylanwad. A

109

darlunio yr oedd yn ei funudau olaf.

Wrth ei gyfarch ar ei ymddeoliad yn 1976, cynigiais eiriau fel hyn, ac fe'u hail-adroddaf heddiw:

Siriol ŵr y Sêr a'i lên – a'i hwyliau
　　Mor heulog â'i awen;
　　Ail i'w le, olau lawen,
　　Oedo'n hir, nad aed yn hen.

(Mehefin 1987)

Ai gwell tai ha'?

'Ydi hi'n well gweld ugain o dai haf mewn ardal nag un tŷ parhaol lle mae 'na deulu di-Gymraeg yn byw?'

Alun Ifans a oedd yn gofyn y cwestiwn, mewn rhaglen radio fis Ebrill diwethaf [1987] ar faterion twristiaeth a thai a mewnfudo yn Nwyfor. Dechreuodd Robyn Léwis ei ateb gyda'r dyfyniad hynod o deyrnged Saunders Lewis, hanner canrif yn ôl, i Gymreigrwydd Llŷn ac Eifionydd. Yna aeth ymlaen: 'Wel mae petha wedi newid cryn dipyn oddi ar hynny. Dyma wlad y tai penwythnos . . . Dw i'n cytuno efo Huw Tudor bod tai haf yn gwneud llai o niwed i'r Gymdeithas na thai lle mae ymfudwyr parhaol'.

Ateb cwestiwn gan Bethan Jones Parry a wnaethai Huw Tudor, pan ofynnodd hi a oedd yn deg (fel yr awgrymodd o leiaf un ar y rhaglen) canmol y mewnfudwyr am gadw'r ysgolion bach yn agored a'n pentrefi ni'n fyw? Rhoddaf ei ateb air am air fel y mae ar y tâp, heb newid yr un sillaf:

'Beth sydd yn drist ac sydd yn digwydd fwyfwy rwan ydi bod yna fewnlifiad o bobl sy'n dod yma i fyw yn barhaol. Mae well gen i weld deg ugain o dai ha' nag un tŷ yn mynd yn dŷ parhaol i deulu ifanc ddod â'u plant efo nhw, y plant yn effeithio ar yr ysgolion. Mae nhw'n dod yma i fyw ar y wlad, mae nhw'n bwriadu bod ar y dôl, 'does gynnyn nhw ddim bwriad cael gwaith, dydyn nhw ddim yn ymdrechu i gael gwaith. Mae nhw yma i fwynhau gweddill eu dyddia, a mae nhw'n deuluoedd

111

ifanc, lawer ohonyn nhw, a mae eu plant nhw'n mynd i'r ysgolion, a mae nhw'n cael effaith andwyol ar ein cymdeithas ni'.

Yr oedd angen ei ddweud. Fel y dywedodd Wyn Bellis Jones ar yr un rhaglen, Saesneg yw dewis-iaith y mwyafrif o blant Dwyfor erbyn hyn, a'r diwrnod o'r blaen, ni chlywais air o Gymraeg gan y plant a chwaraeai yn ymyl eglwys Llangybi, ond gall pawb ohonom amlhau enghreifftiau hyd at ddiflastod.

O dro i dro, ac o gyfnod i gyfnod, bu brwydrau ffyrnig yng Ngwynedd, o ddyddiau Bryn Derwin a'r Dalar Hir hyd at Ddatgysylltiad a Rhyddfrydiaeth a Chenedlaetholdeb. Nid ymladdwyd yma hyd at waed ers canrifoedd, a diolch am hynny, ond erbyn heddiw y mae 'ein cymdeithas ni' chwedl Huw Tudor, mewn mwy o berygl <u>fel cymdeithas</u> – nag y bu erioed. Nid oes angen manylu mewn papur bro Cymraeg, ond fe'm brawychwyd gan y stori yn yr Herald ddydd Sadwrn, 4 Gorffennaf sy'n disgrifio tyfiant diweddar a bwriadau newydd y cyfuniad o gwmnïau Tudor, Medforth a Lucas.

Bwriad y cwmni ydyw hysbysebu pob tŷ sydd ar werth ganddynt mor eang ag y gellir: os oes tŷ ar werth ym Mwlchderwin, fe'i hysbysebir drwy Sir Gaer a Sir Gaerhirfryn. Sonnir ganddynt am y bygythiad arall hwn, ffordd newydd wyllt A55, a fydd yn eich galluogi i weithio yng Nghaer a byw yng Ngwynedd, meddant. Honnir ganddynt hefyd fod nifer mawr wedi symud o Wynedd i gael gwaith ac sy'n awr yn chwilio am dŷ yng Ngwynedd.

Ac ar gynffon y stori yn yr Herald, dyma dynnu dŵr o'ch dannedd gan gynnig gobaith i chi werthu – na, nid eich tŷ, ond eich <u>cartref</u>. Nhw sy'n dweud, a dyma'r toriad o'r Herald, fel ag yr oedd, er mai fi sy'n gyfrifol am y bordor du o'i amgylch.

New links for Tudor?

The Tudor Group are currently discussing an associated connection with one of the largest estate agency firms in Birmingham and the Midlands.

This will mean a further expansion of facilities and opportunities for *YOU* to sell *YOUR HOME*.

(Gorffennaf/Awst 1987)

Iaith addysg

'Ni bydd Lladin yn y nefoedd/Ni bydd Groeg yn nhŷ fy nhad' meddai hen gân y myfyrwyr wrth ddyheu am ddiwedd eu cwrs coleg, ac erbyn hyn fydd dim Groeg na Lladin yn yr ysgolion chwaith os caiff Baker [Kenneth Baker, y Gweinidog Addysg] ei ffordd. Dychrynwyd y papurau mwyaf cyfrifol o weld i ble mae'r bwriadau diweddaraf yn arwain, a chynhyrfwyd amddiffynwyr y Lladin i sgrifennu i'r Wasg.

Bu amser pan fyddai pawb yn gweld rhywfaint o Ladin bron bob dydd, petai'n ddim ond y Fid. Def. Ind. Imp. ar yr hen geiniog, ac y mae'r un peth yn wir am y rhybudd diarhebol sydd ar ymyl sofren felen Seisnig ein dyddiau ni. Eto, mae'n debyg mai ychydig o blant ysgol erbyn heddiw a fedrai ddehongli peth mor syml â'r dyddiad ar sêl Gwasg Prifysgol Cymru, MCMXXII, efallai am na ddywedodd neb wrthynt bod M yn golygu mil a'r C yn dangos cant. Wedyn bu'r Lsd efo ni am flynyddoedd wrth wneud syms, a chedwir yr L, neu yn hytrach yr £, o hyd. Iaith cyfraith ac iaith arian, felly, neu iaith awdurdod a hynafiaeth, oherwydd ei bod uwchlaw popeth yn iaith addysg.

Weithiau nid ystyrid y Saesneg yn ddigon ffurfiol ac urddasol i'w rhoi ar garreg fedd, ond dim ond un esiampl o hynny sydd ym mynwent Llanystumdwy, ar fedd Rhisiart Ellis o'r Gwynfryn a fu farw yn 1805, neu MDCCCV fel y mae ar y garreg.

Wrth ddechrau ar Ladin yn yr Ysgol Sir, lle cefais ei

chwmni am saith mlynedd, nid rhywbeth hollol ddiarth oedd hi a'i phethau. Yn ysgol y pentref yr oeddem wedi cyfarfod ei byd hi pan wnaed inni ddysgu darnau o gerdd Macaulay am Horatius a'i gampau olympaidd wrth amddiffyn y bont, ond canlyniad hynny oedd cysylltu'r Lladin gyda'r Saesneg. Felly wrth gwrs yr oedd hi yn yr ysgol sir, cyfieithu popeth i'r Saesneg, ac er bod gennym athrawes gydwybodol yn Miss P.J. Owen, ac na chaem drafferth i basio'r arholiadau dan ei disgyblaeth, trosi digon peiriannol oedd byrdwn y gwaith.

Dyna mae'n debyg oedd wrth wraidd y syniad o ysgolion 'gramadeg', ac am gyfnod hir ni dderbynnid myfyriwr i'r hen brifysgolion heb fodloni'r arholwyr mewn Lladin a Groeg. Yr oedd y rheini'n bwysicach na'r Saesneg, am y rheswm syml ac ymarferol y byddid yn sicr o ddysgu Saesneg yn eu cysgod. Ni ellid peidio, a'r cyrsiau'n golygu cyfieithu parhaus i'r iaith honno. Ond mae'n amlwg bod rhywbeth wedi ei golli o'r hen ddulliau o ddysgu. Yn y ddeunawfed ganrif medrai Goronwy Owen, yn llanc ifanc, sgrifennu llythyr mewn Lladin perffaith at Owen Meurig o Fodorgan, ar ôl cyfnod digon byr yn ysgolion Pwllheli a Bangor.

Sôn am Fangor, cefais innau dair blynedd o Ladin yno a dwy o Roeg. Am y Roeg, yr oeddwn wedi dysgu peth wmbreth mwy mewn un flwyddyn ym Mhorthmadog efo Miss Beatrice Thorne, nag a ddysgais wedyn yn y coleg. Prin y codai'r Athro Hudson Williams ei ben o'r llyfr yn yr hyn a elwid yn 'ddarlithoedd', ac yr oedd yr adran Ladin yn hollol ddi-eneiniad. Yr oedd Miss Lees a'r Dr. Brown, a'r Athro Thompson, yn bodloni ar ddyfod i mewn a myned allan o'r ystafell ddosbarth a chyfieithu fesul llinell o ddydd i ddydd ac o dymor i dymor. Gormodedd fyddai eu galw'n athrawon nac yn ddarlithwyr, er eu bod yn ysgolheigion mae'n siwr.

Ni fedrai'r tri yr un gair o Gymraeg, a dyna'r gyfrinach.

Mae darlithio ar Ladin yng Nghymru heb ddangos ei dylanwad aruthrol ar yr iaith Gymraeg fel trafod hanes Caernarfon heb gyfeirio at y castell. Yn rhyfedd iawn, gellid dweud mai'r Gymraeg buraf ydyw'r Gymraeg fwyaf Lladinaidd, gan mai o'r Lladin y daeth cynifer o'n geiriau. Hebddi ni fyddai gennym na ffydd nac awr na chawl na phregeth, caws na chyllell na maneg na barf, na gwin na llaeth na melin nac eglwys, a gellid mynd ymlaen ac ymlaen. Ond ni chlywais erioed air o sôn am hyn yn y cyrsiau Lladin mewn ysgol na choleg. I ba beth, meddwch, y bu'r golled hon?

(Tachwedd 1987)

Yn yr Ardd

Tuedd ddigrif ynom, wedi inni fynd i oed (siarad amdanaf fy hun yr wyf wrth gwrs) ydyw meddwl ein bod yn cael syniadau newydd, ac yn dweud pethau newydd sbon. Twyllo ein hunain yr ydym bob gafael, gan anghofio ein bod wedi dweud a gwneud yr un pethau lawer gwaith o'r blaen. Mewn gwirionedd, un bregeth sydd gan bawb, a rhyw amrywiadau arni fydd popeth a ddywedwn. Yr ydym yr un mor dueddol i anghofio sut yr oedd pethau llynedd, ac yn meddwl y bydd y flwyddyn nesaf a'r tymor newydd yn wahanol ac yn well.

Mae cadw dyddiadur yn help i'm hatgoffa mor anghofus ydwyf. Llynedd, gwelaf ei bod yn 18 Ebrill arnaf yn gorffen glanhau a throi yr ardd; yn 1986, yr oedd diwedd Ebrill yn aeafol oer, ac eira ar Eryri. 19 Ebrill oedd dyddiad gorffen palu yn 1985, ond gorffennais ei thrin eleni ar 7 Ebrill.

Wrth edrych ymlaen ato mae'r gwanwyn yn edrych yn beth melys iawn. Anghofiais innau am y brychau, nes sylweddoli pan ddaeth y Pasg eu bod <u>nhw</u> o gwmpas eto. Dacw bâr ifanc a dau blentyn, yr uned deuluol ddelfrydol sy'n gwenu fel gatiau yn yr hysbysebion, yn crwydro'n dursiog a diamcan ar Sul y Pasg. Drannoeth, wrth sefyll yn y ciw papur-newydd, mae dwy ohonyn 'nhw' o'm blaen yn dewis eu dau bapur: y Telegraph a'r Mail. Dwy bleidlais arall i wraig Dennis Thatcher. Maent yn ddigon diniwed yn eu welis gwyrddion, a'r un faint o fwd ar y ddeubar, ond iddynt beidio ag aros yma'n rhy hir. Am y 'Moil', felna, y

117

gofynnodd un o'r ddwy. Birmingham eto.

Yn ôl at yr ardd. Drigain mlynedd a mwy yn ôl, byddai dau yn trin yr ardd yma, fy nhaid Ellis Owen a Richard Jones, Maenywern, rhaw hirgoes gan y ddau, ac ambell sbel i sgwrsio. Mae hen atgof (neu hunan-dwyll) yn peri imi feddwl bod y pridd yn wahanol yr adeg honno, yn llyfnach ac yn llai caregog. Wedi bod yn ei thrin fy hunan am 33 o flynyddoedd, teimlwn yn ddiweddar fod y pridd yn newid ei natur, ac yn rhyfedd o garegog. Hwyrach fy mod yn palu'n rhy ddyfn, ac yn defnyddio fforch. Dwn i ddim, ond eleni cymerais gyngor J.E. Jones, yn ei lyfr 'Garddio', dychwelyd at y rhaw, a thrio dilyn egwyddor J.E. o beidio â phalu'n ddyfnach na phum modfedd. Cawn weld.

Llynedd oedd y tro cyntaf i'r ardd i gyd fod dan ddŵr, adeg y llifogydd mawr, ac yr oedd hynny wedi gadael caenen o laid ar yr wyneb, fel petaem yn yr Aifft, ac ambell ddarn caled diolwg fel cae ysgol ar ddiwedd tymor. Gwaith chwynnu i ddechrau; gwlydd y dom a'r helyglys yn gofyn sylw bys a bawd. Yn ei ieuenctid mae'r helyglys yn edrych mor ddeniadol â phlanhigyn mewn gardd-bach, ond mae'n lluosogwr heb ei fath os gadewir iddo. Un peth a wn i sicrwydd, nid yr un chwyn sydd yma ag erstalwm. Gynt, y ddau brif elyn oedd y benfelen a chwlwm y coed, ond eraill ddaeth i'w lle, er bod y mochlys, gwae ni, yn breswylydd parhaus ym mhob cornel dywyll. Wedi'r holl chwynnu a phalu, bodlonrwydd mawr ydyw syllu ar y cwrlid glanwaith a phob clepyn yn agored i'r haul a'r gwynt. Biti rhywsut bod eisiau aflonyddu ar y perffeithrwydd a dechrau rhychu a phlannu a hau. Ond diolch am gael ei wneud.

Dyna'r gwaith mwyaf 'blynyddol' sy'n bod, a phrin bod pleser mwy parhaus na meithrin darn o dir. Am y darnau nad oes angen eu trin, fel y glaswellt (ar wahân i'r holl dorri), mi fynnwn roi gair o glod i'r mwsog hefyd. Gan nad wyf yn perthyn i grefydd y lawntiau cyhoeddaf nad oes dim brafiach dan draed na'r mwsog meddal, carped rhad a didrafferth sy'n cadw cow ar y glaswellt. Felly, ynghyd ag ysblander y briallu eleni, a phurdeb perffaith blodau'r eirin, henffych well i'r mwsog dan ein traed.

(Ebrill 1988)

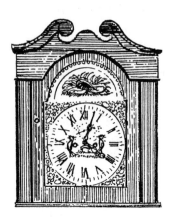

Atgyweirio'r hen gloc

Mae'r hen gloc yn mynd unwaith eto. Pan ddaeth y lli mawr y prynhawn Sul hwnnw yn Hydref 1987, a bygwth ein rhoi dan y dŵr, cawsom gymorth dwylo cryfion i symud dodrefn allan o'i gyrraedd. Gwahanwyd y dresel yn ddwy a'i rhoi ar ben y bwrdd, ac aed â'r cloc i'r gegin allan, er na fyddai fawr gwaeth, mae'n debyg, petai wedi gwlychu ei draed neu fod hyd at ei ganol mewn dŵr. Ond gan fod lloriau'r tŷ yma'n is na lefel yr afon ar unrhyw dywydd, a bod y llifeiriant y diwrnod hwnnw o fewn modfeddi i dorri dros glawdd yr ardd, y peth doeth oedd symud popeth o'r neilltu.

Ymhen tipyn, sychwyd y lloriau a chafodd y dodrefn eu hail osod yn eu lle, a dychwelwyd y cloc i'w gornel. Doedd y dresel na'r bwrdd na'r setl ddim gwaeth o'u symud, ond mater arall ydi symud cloc. Mi sorrodd. Gan fod y meibion wedi ei gael i fynd o'r blaen, credent mai hawdd fyddai ei ail-gychwyn, ond yn ofer. Rhoddais innau gynnig amaturaidd arni, ond effaith gosmetig yn unig a gawn wrth drio lefelu'r gwaith efo darn o gerdyn.

Yn raddol, dyma ddechrau cynefino heb y tipian a'r taro; rhyw feddwl yn flêr a breuddwydiol y byddai'n siwr o ddyfod 'ato ei hun' ond cael llonydd. Ond niwsans oedd gorfod adrodd yr un stori wrth bawb a fyddai'n sylwi fod y cloc wedi stopio. O'r diwedd, ymhen blwyddyn a chwarter, dyma benderfynu ar yr hyn ddylwn fod wedi ei wneud ar y dechrau, sef galw am help yr awdurdod ei hun, Mr John Lewis Williams. Peth rhyfeddol ym mhob maes ydi gallu a gwybodaeth yn yr un dyn. (Roedd Syr John Morris Jones yn medru <u>gwneud</u> clociau.) Dim ond megis i fwrw'r Sul y bu'r hen gloc yn Y Ffôr, nad oedd yn ei ôl, a'r dewin yn llithro'r crombil, a phob diffyg wedi ei gywiro, i'w le mor – wel, fiw i mi ddweud 'di-daro', achos mae o'n taro'n iawn – ond mor ddi-lol â llithro llyfr ar silff. Mae'n mynd yn berffaith, wrth reswm, ac yn siarad wrth dipian, am wn i, ond heb edliw fy esgeulustod.

A dyma gynnyrch 'John Jones, Carnarvon' yn cadw amser eto fel y gwnaeth am dipyn mwy na chan mlynedd. Mae rhannau meinaf y ffigurau ar ei wyneb yn wantan iawn ers blynyddoedd, ac er bod ynddo olwyn galendr does neb yn cofio honno'n gweithio. Beth tybed oedd y rheswm am nodi'r pedwar ar yr hen glociau efo pedair llinell yn lle'r IV Rhufeinig arferol? Am y crac yn ei wydr, cawsom ein dysgu erioed mai drws yn clepian oedd yr achos, pan oedd y cloc a'i gefn ar y palis yn Nhŷ Capel Pantglas gynt.

Ganed fy ngorhendaid, ei berchennog cyntaf, yn 1803, a chan fod yr ail linell yn gweddu llawn cystal i'r hen gloc hefyd, dyma englyn coffa Ieuan Dwyfach iddo yn 1875:-

Y gwir hoffus John Gruffydd – a gofir
    Fel mwyn gyfaill beunydd;
  Oedd ŵr cyfiawn, rhadlawn, rhydd,
  Yn uchel fel masnachydd.

(Chwefror 1989)

Ein pennaf gelfyddyd

Yng Nghymru mae gennym un gelfyddyd fawr, sef yr iaith Gymraeg ei hun. Ystyriwch un enw cyffredin, Llan. Mae rhagor na phedwar cant ohonynt rhwng ffiniau'r wlad (ac un o leiaf yn Lloegr); o Lanaelhaearn, yr ail ar yr holl restr yn ôl trefn yr wyddor hyd at Lanystumdwy, yr olaf ond dau. Byddai astudio'r rhestr i gyd yn addysg gyfoethog, petai ond am ei chelfyddyd. Pwy byth fedrai ddihysbyddu atseiniau enwau fel Llanfihangel Genau'r Glyn, Llanfihangel Tre'r Beirdd, neu Lanfair Mathafarn Eithaf?

Un gelfyddyd fawr. Rydym yn gwario cannoedd o filoedd, drwy Gyngor y Celfyddydau a'r cymdeithasau rhanbarth, ar gerddoriaeth a chrefftau ac arlunio a pheintio a 'theatr' a dawns, tra bod yr iaith, ein pennaf gelfyddyd, ar gael yn rhad ac am ddim. Yn hollol briodol, gofalwn nad oes guriad o'i le mewn cerdd dant na nodyn anghywir mewn cân, ond esgeuluswn y gemau iaith sydd beunydd o'n cwmpas, a'u sathru dan draed o fore gwyn tan nos.

Yn ddiweddar [1989] gwariodd Cyngor Clwyd arian aruthrol ar adnewyddu Plas Bodelwyddan i fod yn ganolfan gelfyddyd, ond er y miloedd a roddwyd am lenni drudfawr a'r gofal ofnadwy gostus am luniau benthyg, i Gymro, y peth cyntaf a gofir am Blas Bodelwyddan oedd i Emrys ap Iwan fod yn arddwr yno ar ddechrau ei yrfa. Treuliais flynyddoedd yn ymwneud â materion darluniau ac arddangosfeydd ac orielau, ond o'u pwyso yn y glorian byddid yn eu cael yn brin o'u cymharu â chyfraniad ac arwyddocâd yr Emrys digymar hwnnw.

Soniais am astudiaeth oes, a gellid dweud yr un peth am y map ordnans o Lŷn ac Eifionydd. Fel yr ymsoniai I.B. Griffith yn ddiweddar, pwy ddywedodd yr enwau am y tro cyntaf? Yn ddiweddar darlledwyd cyfres o ddramâu Brian Friel ar y radio, gan gynnwys yr enwocaf, a gyfieithwyd gan Elan Closs dan y teitl 'Torri Gair'. Cefndir y ddrama honno oedd y cyrch gan awdurdodau milwrol Lloegr i wastrodi enwau lleoedd y Gwyddyl i hwyluso'r gwaith o baratoi mapiau. Ym mhob achos, colled i gyd fu colli hen air. Collwyd enaid wrth golli'r enwau, ac fel y dengys y dramodydd, daeth yn fater o fywyd a marwolaeth.

A phan geir deddf iaith, dylai fod ynddi ddarpariaeth i wahardd newid enwau unrhyw fferm na thyddyn na phant na bryn a rhoi enwau Saesneg yn eu lle.

Geiriau bach sy'n penderfynu cyfeiriad iaith, fel melltith y gair 'so' sydd wedi ymgripio i mewn o rywle. Ac wedyn dyma linell yn y Radio Times:- 'fe gaiff pob un siarad am ei hunan'. Dyma Gymraeg Indiaid Cochion neu ryw Robot o'r gofod, 'meddwl y cyfieithydd' chwedl W.J. Gruffydd, fel petai'r iaith yn ddim byd ond ail-ddewis, rhywbeth <u>yn lle</u> Saesneg.

Wrth gwrs bod angen Deddf Iaith, ond rhagrith fyddai hynny petaem yn anghofio bod gan iaith ei deddfau eisoes, a'r rheini'n cael eu torri bob dydd. A chan fy mod i wedi dechrau dweud y drefn, rhaid i mi ychwanegu mor siomedig oeddwn o glywed llanc o ganol Eifionydd yn ei gynnwys ei hun yn gyhoeddus ymhlith 'hogia Pen Llŷn'. Nid anwybodaeth oedd hyn, does bosib, fel yn achos Eisteddfod yr Urdd 1964, pan ddywedid yn rhaglen yr wythnos mai 'ym Mhorthmadog, Meirionydd' y cynhelid hi. Na, drwg-arfer difeddwl ydi'r cymysgu ar Eifionydd a Llŷn, heblaw am y ffasiwn ddiweddar o ddefnyddio gormod ar y geiriau 'Pen Llŷn'. Fel rhai o Lŷn y clywais i frodorion y cantref yn cyfeirio at eu gwreiddiau bob amser. Mae yna le a elwir yn Ben Llŷn hefyd, ond ardal ydyw, ac mae gennyf gof am Gruffydd Parri'n llunio rhaglen radio rywdro ar yr union le, rhwng Sarn Meillteyrn ac Aberdaron i bob pwrpas.

(Mai 1989)

Cyrn

'Deilio fu raid i'r ynn' wrth gwrs unwaith eto, er mor hirymarhous, a hyd yn oed yr onnen fawr yma sy rhyngom a Maes y Gwaed, yr onnen fwyaf yn holl Eifionydd, o bosibl. I hon gynt y clymwyd yr erial cyntaf arbrofol hwnnw, neu un pen iddo, a'r llall wrth gorn y tŷ. Mae hi'n uchel, a bydd yr awyrennau sgrechlyd o Lanbedr weithiau bron â'i chyffwrdd. Os oes raid hedfan mor isel, buasech yn meddwl y byddai car neu fotorbeic yn ateb y diben yn well. Ond rhuo y byddan nhw yn union uwchben y tŷ yma a phrin glirio twr yr Eglwys a chyrn y Gwyndy. Allan o'r holl filoedd o filltiroedd sgwâr sydd ar gael iddyn nhw, pam eu bod nhw'n dewis llwybyr ar hyd rhan o gwrs afon Dwyfor ac yn union dros y pentref?

Yr ydym wedi cwyno'n swyddogol, ond am wn i nad llawn gwaeth fu pethau ar ôl hynny. Pam y cafwyd y fath drafferth i leddfu dim ar eu lol adeg Eisteddfod yr Urdd sydd ddirgelwch arall. Chlywais i ddim sôn fod neb wedi cysylltu gyda Wyn Roberts [Y Gweinidog Gwladol] neu Peter Walker [Yr Ysgrifennydd Gwladol]. Hyd yn oed yn nyddiau Lloyd George, yr oedd gair ar y teliffon yn ddigon i symud llong ryfel.

Wrth gwrs mae'r 'gwladwr cegrwth yn y ffair' gyda ni bob amser, yn fawr ei edmygedd o'r arfau mwyaf mileinig fel petaent yn ddeunydd sioe. Ar ôl helynt Penyberth, cynhaliwyd 'diwrnod agored' yno ddechrau haf 1938, a chafodd rhai ohonom rywfaint o gysur wrth osod posteri ar goed a pholion teligram i brotestio yn erbyn yr holl beth. Ar ben clawdd yr ochr isaf i Gastellcoed, rhwng Chwilog a'r Ffôr, yr oeddwn i, yn hoelio poster ar goeden onnen (eto), efo W.R. Jones yn cyrraedd yr hoelion ac Eluned Jones (Mrs O.M. Roberts, wedyn) yn gyrru'r car. Dyma'r plismyn heibio, a'r hynaws Ellis Plisman yn gofyn am oedran W.R. Jones. 'Dwy a deugian' meddai yntau. 'Duwch' meddai Ellis, wrth sgwennu yn ei lyfr bach, 'dach chi'n dal eich oed yn dda', fel petai W.R. wedi cyfaddef i bedwar ugain.

Aethom ymlaen efo'n posteri at Benyberth, ac yno yr oedd cannoedd o drigolion Llŷn yn tyrru i weld y sioe. Mae bysiau ar gael eleni i 'ddiwrnod agored' y llu awyr yn Llanbedr. Dydi pethau'n newid dim.

Well imi gadw at bethau gwareiddiedig fel tŵr yr Eglwys a chyrn y Gwyndy. Mae gan yr Eglwys ei chorn hefyd, er nad corn simdde mohono. Addurn er mwyn cymesuredd, mae'n siwr. Mae gwaith brodorol da ar gyrn y Gwyndy, fel ar gyrn y Bryndy i'r cyfeiriad arall, tŷ eto o'r ddeunawfed ganrif. Yma, yn ein tŷ ni, mae pedwar o gyrn, dau wedi eu cau'n gyfangwbl, a'r ddau arall heb dân ond yn achlysurol iawn. Does dim 'cyrn yn mygu er pob awel dro' yn unman bellach.

Daeth pwrpas arall i'r corn, sef cynnal erial. Weiran hir o'r corn i'r goeden onnen oedd hi erstalwm, ond bu raid imi

127

fynd allan gynnau i weld sut erial sydd yma rwan – os oedd yma un hefyd. Wel oes, erbyn gweld, un fel asgwrn pennog ar gorn y parlwr. Digon diniwed, dim ond gobeithio na welwn ni effaith Murdoch a'i griw a'u dysglau ar dai. Ar hyn o bryd mae rhywun yn cysylltu'r dysglau efo rhai fel Murdoch a'i gyd-grafangwyr, nes bod gweld dysgl ar dŷ yn codi arswyd, fel petai yno haint.

Os oes bygythiadau o'r awyr, mae rhai ar y ddaear hefyd. Echdoe drwy stryd Cricieth, a char golau-glas o'u blaen, llusgid dau dŷ ar gerbydau Scamell enfawr ar eu taith tua'r gorllewin. Doedd dim cyrn arnyn nhw, er mae'n siwr y bydd dysglau cyn hir, ond mae nhw mor hyll ag y medrai unrhyw ddiffyg dyfais eu gwneud. Dwn i ddim faint ohonyn nhw dros y blynyddoedd a lusgwyd i'r un cyfeiriad, ond i ble yn hollol? Nid bod arnaf awydd gweld eu cyrchfan, mae eu lliw a'u siâp yn ddigon. Pob un cymaint â dau fwthyn mewn rhes fel Caellwyd gynt. O ble tybed, ac i ble yn union, a pha fath o reolau cynllunio sydd arnynt?

(Mehefin 1989)

Perchentyaeth

Dwn i ddim beth o'm cwmpas a barodd i'r Saesnes ofyn y fath gwestiwn, a hithau erioed wedi bod yma o'r blaen, ond dyma ofynnodd hi: 'Do you feel possessive about this house?' Cwestiwn gwerth ei holi a'i ateb, ymhell o ddosbarth Sut ydach chi? neu Ydi'r tywydd 'ma'n plesio? Roedd hi'n gofyn un o gwestiynau mawr ein tipyn gwlad ni wrth nesu at ddiwedd yr ugeinfed ganrif, cwestiwn i'ch sodro. Bron nad oedd gofyn torchi llewys a phoeri ar gledr llaw cyn dechrau ateb; roeddwn i'n beryglus o agos hefyd i deimlo fel 'Diolch ichi am ofyn', gan na ddaw cyfle fel hyn heb chwilio amdano. Fel rheol, rhaid sefyll ar lwyfan neu anfon llythyr i'r wasg os mynnir mynegi safbwynt y perchennog.

Dyma un o'r sefyllfaoedd mwyaf dramatig a hanesyddol y gellir bod ynddi yng Nghymru heddiw – bod yn berchen tŷ, ac yn enwedig os ydych yn ddigon ffodus i fyw lle gyntaf y gwelsoch olau dydd. Wrth gwrs, hanes mynd a dod ydi hanes pob hen dŷ, ac y mae'r tŷ hwn yn hen. Bwthyn cegin a siambar oedd i gychwyn, wedi ei godi o feini trymion o'r tir, ac yn eiddo stad y Gwynfryn. Perthynai'r cae bach, Maes y Gwaed, iddo, a dau gae lle saif y rheithordy presennol. Byddai fy nhaid yn codi ceirch a thatws yno, ac yn symud yr ieir i'r cae yn eu crynswth am noson neu ddwy i loffa ar ôl y cnwd ceirch.

Helaethwyd y tŷ tua chanol y ganrif ddiwethaf, a bu'n dafarn tan 1912, pan ddewisodd Syr Huw beidio ag adnewyddu'r drwydded. Aeth Mrs Jones, yr olaf i ddal y drwydded, i gadw'r Vic ym Mhwllheli ac wedyn i'r Tŷ Newydd, Aberdaron. Ar ôl ei thymor hi y gosodwyd y lle i fy nhaid a nain.

Ymhell cyn hynny, yr oedd y stad wedi gofalu bod dôr yn y wal rhyngom a'r eglwys, er hwylustod i rywun fynd a dwad (dwad, ran amlaf hwyrach) neu am fod yno hen lwybr na ellid mo'i gau. Flynyddoedd wedi iddo beidio â bod yn dafarn bu amryw yn cerdded i mewn yn ôl hen arfer. Dydi ugain mlynedd yn ddim i rywun a chanddo atgof am dafarn gynt.

Yma y câi'r hen fardd Owen Gruffydd ei lympio'n ddiseremoni i wellt y beudy pan fyddai'n feddw fawr, ac yn y gegin hon y cydiodd John Roberts, Tyddyn Du, yn ei wn i lorio un o giperiaid y Plas. Aed â charreg yr aelwyd i'r llys i dystio i'r hollt a wnaed ynddi gan stoc y gwn. Byddai un o goitsmyn y plasau'n cael ei ddiod o law'r forwyn yn y fynwent drwy ffenest y gegin allan, a dyna pam y diddymwyd y drwydded yn ôl un stori, ond clywais gan un o drigolion hynaf y pentref mai rhyw firi llai diniwed ynglŷn â merched oedd y gwir reswm.

Wedi codi ar y tŷ dan oruchwyliaeth Henry Kennedy, pensaer yr esgobaeth, yr un adeg ag yr adnewyddwyd yr eglwys, un digwyddiad blynyddol yma yn y 'llofft fawr' fyddai cinio rhent y Gwynfryn. Swllt y flwyddyn fyddai rhent ambell un, ond câi ginio yr un fath wrth dalu.

Wedi clywed cymaint o sôn am y cinio, yr oedd ystyr neilltuol i mi ym mhennod gyntaf O.M. Edwards yn Cartrefi Cymru, lle mae'r awdur yn mochel y glaw yn 'unig westy Llanfihangel yng Ngwynfa' ar ei daith i Ddolwar Fach. Yno, meddai, y cynhelid 'cinio rhent Syr Watcyn'.

Ond daeth newid diddorol. Does neb bellach yn meddwl bod yma dafarn, ond dwn i ddim faint sydd wedi bod yma'n chwilio am y person, a llawer yn amheus iawn ohonof pan ddywedaf na fu yma reithordy erioed. Credwch neu beidio, mae rhai ohonynt yn Gymry sy'n byw yn Llŷn neu Eifionydd, ond rhai di-Gymraeg ydynt gan amlaf, yn enwedig rhai am briodi yn yr eglwys. Fe'm galwyd yn Father gan un hen drempyn o Wyddel, a fu'n cogio ymgeleddu'r injan dorri gwellt am gildwrn. I'r cyplau ifanc, eto, dydi'r eglwys yn ddim ond un o bropiau priodi, fel mewn cylchgrawn ac ati. Petaent â'u llygaid yn agored byddent wedi sylwi mai go anaml yng Nghymru y gwelir rheithordy y drws nesaf i'r eglwys. Yr hwylustod agosaf oedd y dafarn, a godwyd er mwyn cadw'r gynulleidfa rhag chwarae pêl a chadw reiat yn y fynwent.

Cofiwch, chafodd Susan Beardmore ddim cymaint â hynna o druth yn ateb i'w chwestiwn, ond yn sicr cafodd wybod fy mod yn teimlo'n 'feddiannol' ynghylch pob modfedd o'r tŷ a'r tir, pob coeden a chlawdd a'r holl libart, fel pawb arall sy'n berchen tŷ. Perchentyaeth, dyna'r gair, y peth sy'n peri i chi deimlo fel codi arwydd 'NID ar werth'.

(Tachwedd 1989)

Chrysanth

Eleni [1990] ar ôl haf a gynhesodd yr holl flwyddyn ar ei hyd, mae'r blodau, er ei bod hi'n fis Tachwedd, yn dal yn siriol. Y rhai sy'n haeddu cywydd o fawl ydyw'r chrysanthemau (os dyna'r lluosog) o Korea, ond pwy sy'n mynd i gynganeddu chrysanthemum? Waeth heb na chwyno am nad oes iddo enw Cymraeg, gan nad oes iddo enw Saesneg chwaith. Wrth gwrs, ar rai mathau o'r teulu mawr, mae enwau Cymraeg da. Yn llyfr Mr Meirion Parry, gwelwch mai Wermod Wen ydyw'r Chrysanthemum Parthenium, ac mae'r Blodyn Llo Mawr yntau'n aelod adnabyddus iawn yn eu plith.

Pan fydd planhigyn yn ffynnu bob blwyddyn heb unrhyw ymdrech ar ein rhan ni, y duedd fydd edrych arno fel chwyn. Dyna hanes y wermod wen, nad oes angen cyffwrdd pen eich bys ynddi i'w thyfu. Fydd hi byth yn methu, ac yn wir mae ei melynrwydd amlwg yn dderbyniol iawn ym misoedd y gaeaf.

Canu clod un math neilltuol o'r teulu a wnaf heddiw, fel bob blwyddyn, sef y Chrysanth o wlad Korea. Ei hau yn y gwanwyn, a'i blannu allan ddechrau haf, a bydd gennych ddegau o blanhigion mawr erbyn Tachwedd. A blodau, wrth gwrs. Blodau sengl fel y blodyn llo mawr, ond bod eu lliwiau'n amrywio o'r melyn a'r pinc tyneraf i oren a rhuddgoch a phorffor, ac am eu bod yn sengl, nid oes iddynt ddim o ymffrost y lympiau tewion o flodau'r siop a'r sioe. Crandrwydd yw gelyn harddwch, meddai diihareb a ddylai fod mewn bri.

Os na cheir gaeaf rhy galed, bydd y planhigion yr un mor flodeuog y flwyddyn nesaf.

(Tachwedd 1990)

Adar R.S.

Ar hyn o bryd mae'r gwylanod yn eistedd yn rhes hir drefnus ar grib yr eglwys, fel y byddant bob dydd. Echdoe daeth y boda i glwydo ar bostyn gôl yn y ddôl sydd am y clawdd â'r ardd yma. Eleni mae'r fronfraith yn amlach ac amlycach nag y bu ers tymhorau, a chawsom, yn y gwanwyn, gwmni ffyddlon ond undonog chwibanllyd telor y cnau, fel bob blwyddyn. Darllen llyfr newydd R.S. Thomas 'Blwyddyn yn Llŷn' sydd wedi peri i minnau ddechrau cyfrif y bendithion adaryddol sydd o'n cwmpas.

'Vintage R.S.' meddai Alun yn Llên Llŷn wrth imi brynu copi o'r llyfr, ac yn wir, mae ynddo gyflawnder o'r hen win, ac o win newydd hefyd. Pennod ar gyfer pob mis o'r flwyddyn sydd ynddo, nid o un flwyddyn neilltuol o angenrheidrwydd, ond bod y deuddeg pennod yn gronicl ac ymateb i naws a chymeriad y gwahanol fisoedd a thymhorau.

Mae'n peri i rywun feddwl hefyd am awduron eraill a fu'n anwylo'r ddaear a'i thymhorau a'i chreaduriaid, awduron fel Henry Thoreau, Richard Jefferies a'r brodyr Powys. Erbyn heddiw wrth gwrs mae R.S. Thomas yn gorfod ystyried materion nad oedd erioed wedi ymgodi dros orwelion y sgrifenwyr hynny. Ni welai'r Jefferies ifanc fawr ddim o'i amgylch ond daear, dŵr ac awyr, a rhywbeth cyfriniol ac amwys oedd Cymreigrwydd i John Cowper Powys. Nid oedd y naill wedi ei gyffwrdd gan bryderon ynghylch y bom niwcliar, na'r llall wedi ymboeni am argyfwng yr iaith. Ond dyna fo, ni chafwyd offeiriad fel hwn o'r blaen, hyd yn oed ymysg yr hen bersoniaid llengar.

Mae ei wybodaeth am yr adar a'i ymroddiad i'w hastudio yn un o brif wythiennau'r llyfr, ac y mae'n cynnwys geirfa o enwau adar ar y diwedd. Daeth yn gynefin â'r rhydyddion (adar y morfa gwlyb) pan oedd yn Eglwysfach, ond yn Llŷn y mae'n craffu ar y dringwr bach a'r dryw eurben, ac yn ymlawenhau o weld rhyfeddod prin rhyw aderyn diarth fel y ddrudwen wridog honno a welodd ymysg ei chymheiriaid cyffredin yn nhueddau Uwchmynydd.

Mae'n demtasiwn gwirioneddol dyfynnu rhywbeth o bob pennod fisol, ac o bob tudalen bron. Ni fedraf ddianc rhag dyfynnu hyn o'r bennod ar Fehefin:

'Rwy'n hen ŵr. Fydda' i ddim yma'n hir eto. Ond beth am y canol oed a'r ifainc? Fedran nhw fyw efo'r syniad na fydd yna'r ffasiwn beth â Llŷn Gymraeg ar ôl y ganrif hon? O, meddech chi, mi fydd y wlad a'i henwau yma. Ysgerbwd. Ewch i'r rhannau o Gymru lle mae'r iaith wedi diflannu a'r enwau wedi cael eu llurgunio. Ysgerbwd o wlad yw hi. Er gwaetha'r golygfeydd gwych mae rhywbeth ar goll, na ŵyr neb beth ydi o, ond gwir Gymro.'

Bydd yn crwydro'r ffyrdd a'r llwybrau, ac weithiau'n teithio ymhellach, i'r Wyddgrug ac Aberystwyth a Chaerdydd neu Lundain, ond nid heb frysio'n ôl bob tro i fesur effaith y gwahanol dymhorau ar ei wir gynefin, sef glannau'r môr a'r tonnau a'r creigiau. Nid yw'n dweud hynny'n benodol, ond daw'n amlwg fod y penrhyn iddo fel llong ar y môr, a cheir awgrym o'r hwylio hwnnw, fel y nodir ganddo, o fan neilltuol yn ymyl y Fantol lle gwelir y môr oddeutu'r tir. Aeth ar goll unwaith yng nghyrion Eifionydd, 'yn yr ardal rhwng Tai Lôn a Bwlchderwin', tir sy'n ei atgoffa o Iwerddon.

Teimlais y cyfandir o wahaniaeth sydd rhyngddo a chofiannau a hunangofiannau a gyhoeddid yn y ganrif ddiwethaf. Mae'n fwy ysbrydol na'r rhelyw, ac yn atgoffa rhywun weithiau o Emrys ap Iwan ac O.M. Edwards. Hoffais ei sylwgarwch, megis bod 'gormod o olau yn Llangian a Llanengan', a'r cyffyrddiadau annisgwyl sy'n dwyn dyddiadur Eben Fardd i gof, fel pan swynir ef yn sydyn gan 'ferch a aeth â'm bryd'.

Nid yw'n hiraethu am ei dymor ym Maelor Saesneg, ond y mae'n dychwelyd o hyd yn ei feddwl i Fanafon, lle daeth i adnabod y Gymraeg. Daw cof am Fôn ei ieuenctid, ond ei ymateb i dirwedd Llŷn a'i argyfwng, a'r mewnlifiad yn arbennig, ydyw deunydd pennaf ei benodau. Does dim digon o goed ar y penrhyn, ond y mae'r môr a'i foddau yn llywodraethu.

Bachwch y gyfrol hon gan un o gyfeillion pennaf gwlad Llŷn (sy'n cynnwys hefyd luniau bychain tyner). Cyn bo hir, ddywedwn i, bydd yn amhrisiadwy.

R.S. Thomas, *Blwyddyn yn Llŷn*, Gwasg Gwynedd, £3.25.

(Rhagfyr 1990)

Amryw ieithoedd

Mewn drama radio a glywais yn ddiweddar yr oedd yr awdur wedi cael gafael ar ddyfais na sylwais ar neb yn ei defnyddio o'r blaen. Drama wedi ei gosod yn ninas Glasgow heddiw oedd hi, a'r peth hynod oedd bod un cymeriad yn siarad gydag un o'i gydnabod yn iaith ac arddull rhywun o'r gorffennol, fel petai hwnnw'n siarad drwyddo. Sylweddolodd ei gyfaill mai'r hyn a glywai oedd geiriau'r bardd John Keats, a fu farw yn 1821. Gyda phawb arall defnyddiai'r cymeriad yr un iaith pob-dydd â hwythau, a hyd yn oed pan ymarweddai fel Keats yr oedd yn hollol ymwybodol mai yng nghanol amgylchiadau y byd modern yr oedd yn troi.

Enghraifft eithriadol a rhamantus oedd hon, ond y mae rhywbeth i'r un cyfeiriad yn siwr o fod yn wir am y rhan fwyaf ohonom. Fyddwn ni ddim yn siarad efo pawb yn hollol yr un fath, nac wrth gwrs am yr un pethau bob amser. Echnos yr oedd rhywun o'm cydnabod yn sôn ei bod hi ar gychwyn i Philadelphia, ac wedyn yn cychwyn i Japan. Dyna ddeunydd sgwrs unochrog braidd, am nad oedd gennyf fawr ddim y medrwn ei gyfrannu am y naill le na'r llall. Ac wedi i rywun fynd i oed, mae llawer o'r deunydd siarad yn dueddol o lithro i'r gorffennol yn amlach bob dydd. Am Philadelphia, er enghraifft, cip o'r gorffennol yn unig sydd gennyf i ymgysylltu â'r lle, am i mi dderbyn cerdyn post oddi yno drigain mlynedd yn ôl. Ond gan fod y cerdyn hwnnw yma o hyd, hwyrach fod hynny'n rhyw fath o 'garreg afael'.

Dim ond inni gysidro, ac mi sylweddolwn y gallwn fod yn siarad iaith pobl eraill yn amlach na pheidio, neu o'i roi mewn ffordd arall, sut mae modd inni wybod nad geiriau ac ymadroddion rhywun arall a ddefnyddiwn bob dydd bron? Pan ddefnyddiaf y gair 'neilltuol', yr wyf yn ymwybodol mai gan fy nhaid y clywais y gair am y tro cyntaf. Fe'i clywn bob wythnos ar nos Lun pan fyddai taid yn darllen *Y Genedl*. Nain yn holi 'Be sy'n y papur?' ac yntau'n ateb 'Dim byd neillduol' (felna). Cofiwn eto fod gennym amryw 'ieithoedd' y tu mewn i'n ffordd o siarad. Ar un cyfnod bu iaith y pulpud, neu'r areithfa fel y dywedid gynt, yn ddylanwad posibl, nid i'w efelychu debyg iawn, ar wahân i bwrpas parodi, ond i'w dderbyn yn ddiarwybod fel dylanwad.

Mae'r dylanwad yn amlycach o gryn dipyn wrth sgrifennu. Mae rhai ohonom yn cofio am y testun hwnnw mewn eisteddfodau: Ysgrif yn null Parry-Williams. Gofyn rhy amlwg oedd hwnnw, ond os oedd hogyn ysgol yn dechrau sgrifennu sonedau yn 1936, pa obaith oedd ganddo i osgoi efelychu'r bardd o Ryd-ddu? Mi ddywedwn i fod mwy o waith ar ysgrif nag ar soned, a chyfrinach T.H. Parry-Williams yn ei ysgrifau yn anos ei dal: 'Nid oes gennyf rithyn o gywilydd sôn amdano mewn rhyddiaith noeth a phlaen, er nad yw ond peiriant – motor-beic dwyflwydd oed'. O'i weld fel yna mewn brawddeg, mae'r gair bach 'rhithyn' yn talu am ei le, ond mwy anodd eto fyddai dadansoddi <u>acen</u> y frawddeg, yn yr ystyr lafar neu gerddorol felly, a'r ymadrodd sydd mor syml yn gorffen mor gryf ar y sillaf olaf un. Mae'n bosibl i ddysgwr fedru holl eiriau'r iaith, ond yn yr ymadroddion y mae'r gyfrinach. Sut mae esbonio'r swyn rhyfedd sydd yn y 'dwyflwydd oed', yr un-dau-TRI cerddorol hwn? Eto, yn yr un modd: deunaw oed, ugain oed ac ati, a pha ryfedd i Rene Gruffydd gael hwyl ar ei gân pen-blwydd, 'Leisa fach yn dairblwydd oed'.

Rhaid i mi gyfaddef heb gywilydd y byddaf yn teimlo gwefr hyd at ddagrau wrth glywed ambell ddysgwr yn traethu'n gywir a huawdl yn Gymraeg, ac yn cynddeiriogi wedyn pan glywaf ar y radio bethau fel 'y dair long' neu 'chwe mlynedd'. (Chwi ddarlledwyr, trowch i Orgraff yr Iaith Gymraeg, t. 59). Waeth i mi ei ddyfynnu ddim: 'Bai echrydus yw rhoi'r treiglad trwynol ar ôl chwe, megis chwe mlynedd . . . ac ni ddylai fod esgus dros Gymraeg lletchwith fel chwe mlynedd.' 'Mae'n ofnus', fel y byddai Owen Rowlands yn dweud, nad oes neb yn gwrando ar Syr John Morris Jones erbyn hyn, nac yn sicr yn troi at yr Orgraff.

Cafodd rhai ohonom y fraint o'n dysgu mor agos i lygad y ffynnon ag y gellid ar y pryd, gan ddisgyblion Syr John; yn fy achos i, gan William Rowland, Ifor Williams, Thomas Parry a Robert Williams Parry. Ond os oedd Goronwy Owen yn y ddeunawfed ganrif yn llwyddo i ddysgu Lladin perffaith ar ddim ond ysbaid fach o ysgol, pa ddiolch ddylai fod i Gymry am ddysgu Cymraeg?

Ym myd y Saesneg, mae pethau'n dirywio hefyd. Gwelaf ddigon o gamgymeriadau iaith yn y Guardian a'r Independent sydd i fod yn bapurau cyfrifol, ond braidd yn amwys oedd y wasg pan argymhellodd rhyw adroddiad ddeufis yn ôl na ddylid tynnu marciau mewn arholiadau am sillafu anghywir. Mae'n ymddangos weithiau fod y Saeson yn dechrau colli ffydd yn eu hiaith, a'u bod â'u bryd ar droi'n Americanwyr.

Bu amser pan fedrwn adnabod plant hanner dwsin o ysgolion ar eu diwrnod cyntaf yn yr ysgol sir, a gwybod eu hysgol dim ond wrth iddynt ynganu eu henwau. Dylanwad athrawesau ffyddlon, mi gredaf, oedd yn gyfrifol am eu llefaru arbennig. Mae digon o ddylanwadu o hyd, ond nid yr athrawesau sy'n gyfrifol erbyn hyn.

(Mawrth 1991)

139

John Petts

Teitl y llun yw 'Pysgotwraig o Ynys Môn', engrafiad ar bren gan John Petts, a fu farw fis Awst eleni [1991] yn ei gartref yn y Fenni, lle'r oedd yn byw ers rhai blynyddoedd. Daliaf i gofio'r tro cyntaf erioed i mi ei weld, yn sefyll dan y feranda ar ben y grisiau llechfaen o flaen Penybont yn Llanystumdwy. Yr oeddwn wedi dilyn ei waith fel artist ac awdur ers 1936. Y pryd hynny yr oedd yn byw gyda Brenda Chamberlain yn Nhŷ'r Mynydd, Llanllechid, ac yn crafu bywoliaeth wrth wneud engrafiadau a'u gwerthu fel cardiau Nadolig a chardiau post. Nid oeddwn wedi gweld dim byd tebyg i'r gwaith hwnnw, gan gynnwys yr engrafiadau a ddarluniai ei ysgrifau i'r Welsh Review.

Yn 1947 y daeth John, a'i wraig Kusha, i Benybont, i fyw yn y tŷ a goruchwylio Amgueddfa Lloyd George o'r cychwyn. Yr oedd yr Iarlles Lloyd George wedi gofyn i mi a wyddwn am rywun a fyddai'n ffitio'r swydd, a heb betruso dim awgrymais enw John Petts. Cytunodd hithau ar unwaith, ac felly y bu. Yn Llundain y cafodd ei eni a'i fagu, yng nghanol criw o berthnasau llawen, un neu ddau ohonynt yn cadw siop. Byddai'n sôn am ewythr a gadwai siop ddillad yn gwneud busnes da ar nos Sadyrnau wrth werthu hetiau caled i ddynion at y Sul. Os na fyddai'r het yn ffitio'n rhwydd, y gair fyddai 'I'll put it on the stretcher sir'. Tra byddai'r cwsmer yn dychmygu am ryw beiriant cywrain a fedrai ymestyn hetiau, byddai'r siopwr yn mynd â'r het i'r cefn, yn ei rhoi am ei ben-glin ac yn tynnu â'i holl nerth!

Bu yn ysgolion yr Academi Frenhinol ac yn helaethu tipyn ar ei fymryn ysgoloriaeth wrth weithredu fel model i arlunwyr eraill. Cyn mynd i Dŷ'r Mynydd, bu'r ddau, Brenda Chamberlain ac yntau, am dipyn mewn bwthyn uwchben Abergwyngregyn, ond yn Llanllechid y sefydlodd Wasg y Gaseg, ar ôl Afon Gaseg, a hefyd am y ferlen a gadwent, y gwelir llun ohoni yn imprint y wasg. Ar wahân i'r engrafiadau ar bren, gwaith bys a bawd ar wasg seml iawn oedd y cynnyrch, ond buan y daeth yr imprint yn enwog wrth i'r taflenni ddechrau ymddangos. Cynhwysai'r rhaï hynny ddarn o farddoniaeth (Cymraeg neu Saesneg), a darlun, a'r pris ar y dechrau oedd chwecheiniog yr un. Cyn hir daethant yn drysorau prinion i gasglwyr brwd. Cafwyd gwell gwasg, a theip newydd deniadol, wrth ymsefydlu ym Mhenybont, a Jonah Jones yn gyd-weithiwr.

Argraffwyd llyfrau cain yno, ond nid oedd unrhyw waith printio islaw sylw'r wasg. Heddiw roeddwn yn edrych ar docyn a argraffwyd yno, tocyn aelodaeth Cymdeithas Lenyddol Undebol Llanystumdwy 1948-49, amser ac amgylchiadau pell iawn erbyn hyn.

Ganed dau o blant i John a Kusha yn Llanystumdwy, ond aethant i fyw yn Aberddawan, Morgannwg, pan gafodd John swydd dan Gyngor y Celfyddydau yn 1952. Oddi yno aethant i Landaf, a chafodd yntau swydd arall, yn athro yng Ngholeg Celf Caerfyrddin. Dyna pryd y symudwyd i Lansteffan, y pentref a gysylltir yn neilltuol gyda'i enw a'i waith.

Tŷ yn y stryd mewn rhes oedd Cambria House, ei ffrynt ar y stryd a'r cefn yn cyrraedd i lawr i lefel is y cae yn y cefn. Bu'n ffermdy unwaith, ac am fod yno feudy, gwnaeth hwnnw weithdy ardderchog. Gwnaed rhyfeddodau yn y gweithdy hwnnw, yn enwedig mewn cerfluniaeth metel a gwydr lliw.

Y gwaith a wnaeth ei enw'n adnabyddus drwy'r byd oedd y ffenest liw fawr a luniodd i'r capel yn Alabama lle lladdwyd nifer o blant a phobl ddu eu croen gan fom rhyw ymosodwyr hiliol. Pan orffennodd y gwaith, cawsom fenthyg y cynllun llawn-faint i'w arddangos yn y Gegin yng Nghricieth.

Nid wyf wedi enwi'r ganfed ran o'i gynnyrch, nac wedi cyfleu'r ddawn fawr arall oedd ganddo, ei lenyddiaeth. Yr oedd ôl meddwl gofalus a dychymyg perlaidd ar bob dim a sgrifennodd erioed. Ni fedrai Gymraeg, ond ymserchai yng ngeiriau'r iaith, a pharchai enwau ac ymadroddion a diarhebion Cymraeg fel gweithiau o gelfyddyd gain.

Rai blynyddoedd yn ôl, llythrennodd y geiriau TRECH ANIAN NAG ADDYSG ar ddarn hir o bapur, a'i roi yn y fy llaw. Fe'i trysoraf.

(Medi 1991)

Y Meri-go-rownd

Gwyddom yn rhy dda beth fu eu diwedd, ond cyfnod rhyfedd/rhyfeddol (yn ôl eich oedran) oedd blynyddoedd y tridegau. Pan oedd cinio ysgol yn wledd ogoneddus, neb yn bwyta mewn gwesty ond ambell gyrnol ac ocsiwnïar, y tafarnau'n llefydd i hen ddynion boeri i'r tân, record gramaffon yn troi 78 gwaith y munud, a draenen ddu yn gwneud y tro yn lle nodwydd iddi.

Daliai siopau eiyrmyngar i werthu rhawiau a hoelion, ac nid oedd neb wedi clywed enwau'n gorffen efo -ota, -hatsu, na bishi. Caem frechdan hufen-rhew yn siop Paganuzzi-isaf am geiniog, a'r un <u>ddwy</u> geiniog yn ddigon o bryd i ddau. Rhoes Mr Paganuzzi un ddwy geiniog mewn camgymeriad imi, er braw, am fy ngheiniog unwaith. 'No matter' meddai, am ei fod yn nabod fy nhad. Cerydd gwareiddiedig iawn a gafodd un hogyn heglog yn y chweched dosbarth gan y prifathro ryw dro, dim mwy na 'Don't look so complacent, boy'. Anturiaethau diniwed oedd bywydau bechgyn, ambell un yn falch o gael sigâr Havana fawr gennyf (manteision mab i forwr), honno'n para am wythnos o'i diffodd mewn pwced o ddŵr ar ôl pob smôc. Wrth gwrs, yr oedd rhai yn yr oedran hwnnw yn rhywiol anturus, a'u chwedlau'n fwy rhyfeddol nag unrhyw nofel neu ffilm. Ond fel y sylwodd y bardd Philip Larkin, nid tan chwe-deg tri y dechreuodd y meri-go-rownd droi go-iawn.

Ac yn y tridegau y dechreuodd hanes Cymru. Nefoedd oedd bod yn ifanc, a daeth y teimlad o fod yn rhan o hanes gyda chyffro helynt yr ysgol fomio yn 1936.

(Ymhen 26 mlynedd wedyn y darlledwyd darlith Saunders Lewis ar Dynged yr Iaith.) Yn y cyfamser, ar ôl 'Tân yn Llŷn', daeth cyrch arall ar Eifionydd pan drosglwyddwyd gwersyll Penychain i gwmni Butlin. Nid peth esmwyth oedd gwrthwynebu'r anfadwaith hwnnw. Soniodd Ioan Madog yn 1874 am 'Gu odidog Geidwadaeth', ond camddehongli'r ystyr yr oedd o, fel llawer un ar ei ôl. Yn achos Penychain, y rhai a ddymunai <u>gadw</u>, y gwir geidwadwyr, oedd y cenedlaetholwyr a'r hen ryddfrydwyr, a'r 'datblygwyr' yr adeg honno fel heddiw, oedd y toriaid angheidwadol a gwŷr busnes.

Dyma ddisgrifiad y diweddar Colin Gresham, yn ei gyfrol fawr Eifionydd, wrth drafod terfynau trefgordd Penychen:

'Mae'r pentir creigiog isel sy'n rhoi ei henw i drefgordd Penychen yn ymestyn yn gadarn i'r môr o arfordir Eifionydd, ac y mae'r pentir hwn yn un o brif nodweddion y glannau. Daw'r graig i'r wyneb, craig glos ei graen, o liw tywyll-euraid cynnes, wedi ei ffurfio gan dân. Naddwyd glannau'r pentir yn gyfres o gilfachau a'r allt uwchben yn cyrraedd hyd rhyw hanner-can troedfedd. Tua'r tir, y mae bryncynnau bychain creigiog, wedi hanner eu gorchuddio gan redyn ac eithin . . . ac yn eu mysg ddarnau o dir wedi eu bras drefnu'n lleiniau a chaeau, rhwng gwrychoedd o fieri a llwyni drain wedi eu cerfio gan y gwynt. Mae'r fangre yn rhan odidog o'r arfordir . . . '

(Trosiad)

Ymosodiad ar Eifionydd oedd yr hyn a wnaed ym Mhenychain.

Yn y fro ei hun y dechreuodd y drwg, pan ddaeth criw o

144

ddynion o'r cylch at ei gilydd i feddwl sut y gellid datblygu'r arfordir, ac aethant ati i ymgynghori â W.E. Butlin, fel arbenigwr. Felly, pan ofynnwyd i Butlin gan y Morlys a wyddai am le saff i wersyll ymarfer, gwyddai wrth gwrs am ei fod wedi gweld 'lle cymwys yn Llŷn pan oedd yno yn 1938' (o adroddiad Pwyllgor Amddiffyn Llŷn). Dyna oedd ei deitl, er mai yn Eifionydd yr oedd y gwersyll gwyliau. Doedd Eifionydd, gwaetha'r modd, ddim yn awyddus i'w hamddiffyn ei hun. Un pwynt arall: pan ofynnwyd i Butlin faint oedd wedi ei dalu i'r morlys am y tir, ei ateb oedd 'Dim un ddimai'.

Fel y gwyddom, methiant fu ymdrechion y Pwyllgor Amddiffyn ond dyma rai o wŷr Eifionydd a oedd yn aelodau ohono: William George, J. Harlech Jones, Y Parch J.W. Jones, William Rowland, Eliseus Williams, Gwilym H. Williams, a'r Parch R.H. Williams, Chwilog. Yr oedd aelodau eraill o Lŷn ac Arfon. A'r funud yma, dyma lyfr newydd R.S. Thomas yn cael ei roi ar y bwrdd o'm blaen, a'r peth cyntaf a welaf ydyw ei ganmoliaeth i bobl Eifionydd yn nyddiau cynnar gwersyll Butlin am ddangos i'r Saeson gwamal na chaent newid enw safle leol y ffordd haearn ym Mhenychain yn <u>Penny Chain</u>.

Ar ôl hynna, waeth dyfynnu mymryn o drydedd iaith. Gan fod y rhan fwyaf o ddarllenwyr Y Ffynnon wedi bod yn 'gwneud' Ffrangeg yn yr ysgol, dyma frawddeg gan ŵr o Lydaw: Les droits qui les autres ont, que nous n'avons pas (Yr hawliau sydd gan eraill, nad ydynt gennym ni) sy'n arwain yn rhesymol at lyfryn newydd arall sydd hefyd o'm blaen ar y bwrdd, Cyfrinach Ynys Prydain, y ddarlith gan Dafydd Glyn Jones a glywsom ar y radio nos Gŵyl Ddewi. Roedd hwn yn un o ddarllediadau mawr y ganrif, ac yn darlunio gweledigaeth o wir senedd ym Mhrydain – 'Lloegr, Yr Alban a Chymru, y tair yn gyfartal eu cynrychiolaeth, a'u seneddau eu hunain yn ddarostyngedig i'r tŷ canolog i'r un graddau yn deg â'i gilydd'. Ac felly, 'I ni Gymry, y cam cyntaf tuag at y nod hwn fyddai agor ein senedd ein hunain. Ei hagor. Nid deisebu amdani drwy gynnal refferendwm, ac nid gofyn i Ysgrifennydd Cymru a yw'n teimlo ar ei galon, ar ôl noson arall o gwsg, yr hoffai weld ei sefydlu . . . '

Felly, er bod Americanwr yn ddiweddar yn mynnu mewn llyfr bod 'Diwedd Hanes' wedi digwydd, daw hyder weithiau fod hanes Cymru yn ail-gychwyn.

(Mawrth 1992)

Ddoe a heddiw

Gan fy mod yn 'sgrifennu hwn ar ddydd Mawrth, y seithfed o Ebrill [1992], a bod yr Etholiad drennydd waeth i mi heb na sôn am y pwnc hwnnw. Sylweddolaf y munud yma na sgrifennais y gair 'drennydd' erioed o'r blaen, na'r geiriau trannoeth na thradwy chwaith, nac echdoe am wn i. Ond a fyddwn yn eu dweud? Gallai bardd sgrifennu 'Aeth ei drannoeth a'i drennydd'. Pan fyddwn yn sôn am wawrio, am gyda'r nos, canol dydd, neu lwyd-dywyll, at y presennol, ar y cyfan, y byddwn yn cyfeirio. O safbwynt y presennol hefyd y dywedwn echdoe, ddoe, heddiw ac yfory, ond mae'r lleill, fel drannoeth, drennydd a thradwy fel petaent yn perthyn i fyd y chwedleuwr, i broses adrodd hanes neu stori.

Mae ddoe, wrth gwrs, yn golygu mwy o lawer na'r diwrnod cyn heddiw yn yr un wythnos, ac yn cyfleu cyfnod a aeth heibio. Ond am drannoeth, mae'r gair ar unwaith yn creu darlun o'r sgwrsio a geid gan rai'n galw ar nos Sadwrn, yn pwyllog rannu'r stori efo 'Beth bynnag i chi . . . ', 'waeth i chi hynna na mwy', neu 'be ddyliech chi ddaru o', 'ddeuda i chi rwan' a 'choelia i byth'. Dyna'r ychwanegiadau angenrheidiol i gynnal diddordeb a thynnu sylw.

Waeth i minnau hynny na mwy, a throi eto at ddoe. Clywais enw'r Western Mail pan oeddwn yn ifanc iawn, chwe blynedd a thrigain yn ôl. Roedd rhyw gynhadledd yn yr eglwys, a'r personiaid yn cael te yn ein tŷ ni. 'Is this where the clergy are?' gofynnodd un o'r hwyr-ddyfodiaid, yn ei siaced liain wen a'i het banama, gan ychwanegu gair at fy ngeirfa. Rhoi dwy geiniog yn fy llaw, i nôl y Western Mail o'r siop. Siwrnai seithug wrth gwrs, gan na fyddai yno ddim ond papur Lerpwl, yr Herald Cymraeg a'r Genedl, a'r Papur Pawb pinc wedi ei neilltuo ar y gadair wrth y drws. Hwyrach fy mod wedi cael cadw'r ddwy geiniog.

Aeth blynyddoedd heibio cyn i mi weld y Western Mail wedyn, pan oedd yn atgas gan fyfyrwyr gwlatgar, nes peri i'r Sais o genedlaetholwr Cymreig, John Oswin Ainley, losgi copi ohono ar faes 'steddfod Machynlleth yn 1937. Heno ar y radio wrth drafod cyfieithiad John Morris Jones o gerdd enwog Omar Khayyam, soniodd Richard Jones, Benllech, am y Western Mail unwaith yn cyfeirio at waith J.M.J. fel cyfieithiad o Saesneg Fitzgerald. Cywirwyd hynny gan lythyrwr, a'u hatgoffa mai cyfieithu o'r iaith Berseg wreiddiol a wnaeth Syr John, a bod ei fersiwn yn rhagori ar waith Fitzgerald. Ni chwympodd y papur ar ei fai, dim ond ymateb drwy alw'r llythyrwr yn eithafwr. Papur felly oedd yr hen Western Mail. Ond daeth haul ar fryn, a newid rhyfedd yn ei hanes. Ddiwedd Mawrth eleni daeth gwahoddiad i ddarllenwyr gyfrannu pumpunt y pen tuag at hysbyseb i ddatgan cefnogaeth i ddatganoli yng Nghymru. Ar yr ail o Ebrill cyhoeddwyd y rhestr yn cynnwys dros naw cant o enwau. Dylanwad John Osmond, y llenor a'r cyn-olygydd materion Cymreig iddo, sydd tu cefn i'r newid yn agwedd y papur.

Enw'r Western Mail am yr ymgyrch ar yr ail o Ebrill oedd Dydd Democratiaeth, ac fel Ymgyrch dros Senedd i Gymru y disgrifiwyd hynny ganddo yn ei bennawd Cymraeg. Mae rhywbeth calonogol iawn yn y rhestr enwau. Oherwydd cylchrediad y papur, nid rhyfedd bod mwyafrif yr enwau, efallai, o Ddyfed a Morgannwg, er bod amryw o Wynedd hefyd, a rhai o Loegr. Da gweld enw arweinydd Cyngor Dinas Caerdydd, a swyddogion undebau. Gwelais enwau cynghorwyr o Bwllheli a Llŷn, aelodau o grwpiau Llafur, llenorion ac actorion ac athrawon coleg. A beth am enwau annisgwyl fel y ddau farchog, Syr Dilwyn Williams, Llanilltud Fawr a Syr Osmond Williams, Penrhyndeudraeth?

Mae yma enwau o Eifionydd hefyd, a dim ond un ohonynt a gafodd y ddwy 'c' [yng nghanol Cricieth] yn ei gyfeiriad yn groes i'r hyn a sgrifennodd. Dyma'i ateb:

Ateb <u>c</u> fel tobacco – gyda dwy,
    Geidw dyn yn effro,
  Ni ddaw hun iddo heno,
  Yr <u>c</u> a yrr rai o'u co.

(Ebrill 1992)

149

Ysgrifau Ffransis Payne

Pan gyhoeddwyd 'Rhestr o Enwau Lleoedd' gan Elwyn Davies yn 1957, yr oedd y llyfr yn nodi ym mha sir yr oedd pob pentref a thref a mynydd a llyn yng Nghymru. Bellach aeth enwau rhai o'r tair sir ar ddeg bron yn angof, ac un ohonynt, Sir Faesyfed, yn fwy anghofiedig na'r lleill. Hon oedd y sir ddieithraf i'r rhan fwyaf ohonom, a'r unig enw gwir adnabyddus ynddi oedd Llandrindod. Wrth deithio i Gaerdydd, prin y cofiem fod Rhaeadr Gwy yn perthyn i Faesyfed hefyd, ond wedyn daeth enw lle mwy dinod yn amlycach o lawer, a hwnnw oedd Llanelwedd. Mae rhyw addewid yn y tŷ hwn ein bod am fynd i Landrindod rywdro, gan ein bod yn weddol gyfarwydd â'r sir, ac wedi bod yn Llanandras a Threfyclawdd a Chleirwy a'r Gelli Gandryll sydd am y clawdd â'r lle, a thros y mynydd drwy'r Bugeildy.

Ond mae modd adnabod Maesyfed heb fynd ar gyfyl y sir, drwy waith Ffransis Payne, awdur y ddwy gyfrol ardderchog yn y gyfres Crwydro Cymru. Yn ddiweddar y bu farw, yr un oed â'r ganrif ac felly dros ei ddeg a phedwar ugain. Ganed ef yn hen dref Ceintun, dros glawdd Offa yn sir Henffordd, ond i'r Cymro hwn, Maesyfed oedd ei sir. Gwyddai'n llythrennol am bob plwy ynddi, am bob eglwys a chapel a thafarn, ei choed a'i thiroedd a'i phriddoedd hefyd, heb sôn am ei hanes. Roedd ganddo lygad at adeiladau, ac meddai mewn un lle: '. . . yn sicr mae angen gwell tai ar bobl ein pentrefi, ond ai rhaid i'r hyn sydd newydd a gwell fod mor ddiawledig o hyll?' Mae'n agor ein llygaid ninnau wrth ddangos cymaint o ymwneud a fu rhwng beirdd yr uchelwyr a hen deuluoedd y sir, mwy o lawer nag yma yng Ngwynedd. Ond yno, ar y gororau, collwyd y Gymraeg, a hynny yn annisgwyl braidd drwy ddylanwad yr ymneilltuwyr a'r diwygwyr a ddeuai o Loegr yn ogystal â Chymru. Nid oedd gan Howel Harris ddim diddordeb yn yr iaith, a phregethai yn Saesneg ble bynnag y medrai.

Ymysg llyfrau eraill Ffransis Payne mae casgliad o ysgrifau dan y teitl Chwaryddion Crwydrol. Yn yr ysgrif neilltuol ar y pwnc hwnnw mae'n sôn am hen ŵr yn disgrifio'r actorion pabellol hynny ac yn wfftio'n chwyrn pan ddywedodd Payne ei fod yntau hefyd yn eu cofio. Ond wrth gwrs ei fod yn eu cofio, fel yr wyf innau hefyd. Sôn yr ydym am actorion o Saeson a fyddai'n crwydro'r wlad ac yn aros am sbel mewn tref neu bentref i berfformio. Fel y dangosodd Cecil Price yn ei lyfr 'The English Theatre in Wales' yr oedd theatrau, cyn y diwygiad Methodistaidd a hyd yn oed nes dyfod y sinema, i'w cael fesul degau o Gaergybi i Gaerdydd. Sefydlodd Madocks un yn Nhremadog yn llofft y neuadd farchnad, a bu yntau'n cymryd rhan ar y llwyfan. Weithiau byddai ystafell gefn rhyw dafarn yn gwneud y tro, neu babell, ond actorion yn dibynnu ar theatr am eu bywoliaeth oedd y cwmnïau hynny.

Mae'n siwr imi weld machlud y math hwnnw o theatr yma yn neuadd y pentref yn 1928. Ni chofiaf eu henwau, os clywais hwy o gwbl, ond buont yma am ragor nag un wythnos, ac yn cyflwyno eu dramâu bob nos. Rhwng y dramâu hefyd cadwent at hen draddodiad y perfformiad unigol, rhyw fwrlesg neu gân boblogaidd. Ymhlith y dramâu cofiaf imi weld perfformiad o'r esiampl honno o ddagreuoldeb a sentimentaliaeth a elwid yn 'East Lynne', a'r glasur o felodrama 'Maria Marten, Murder in the Red Barn'.

Golau carbeid oedd yn y neuadd, ond rhwng hynny a choluro afradus yr oeddynt yn argyhoeddi'n llwyr. 'Cyrraedd ac yna ffarwelio' oedd eu hanes, darn o derfyn hen draddodiad y theatr deithiol.

Nid annhebyg oedd cwmni enwog W.J. Davies Talysarn, a gyflwynai nid yn unig esiamplau tebyg i'r rhai a ddychenir gan W.J. Griffith yr Henllys Fawr, am yr hen deulu a'r sgweiar trahaus a'r mab yn dychwelyd o Galiffornia, ond o leiaf un o waharddwyd wedyn gan y sensor – 'Y Crocbren'. Mewn un olygfa yn honno, cofiaf gau fy llygad yn sownd mewn dychryn. Prawf o effeithiolrwydd drama, mae'n siwr. Dywedwyd fod teledu wedi lladd y ddrama lwyfan, ond eto chwedl T.H. Parry-Williams am y tylwyth teg, 'mae nhw'n bod'.

Mae Ffransis Payne yn sôn hefyd am delynorion Sir Faesyfed. Yr olaf ohonynt oedd John Lewis Roberts a fu farw yn 1928. Tua 1924 daeth telynor crwydrol i berfformio yma yn yr ysgol ac i aros efo ni am noson. Ar ei ôl gadawodd y strap lledr a ddefnyddiai i gario'r delyn. Tybed pwy oedd y telynor hwnnw? Tybed yn wir.

(Rhagfyr 1992)

Llifo

A dyma 1993. Nid fy mod yn hollol siwr erbyn hyn chwaith heb gael cip ar yr almanac, a wela i ddim bai ar Y Casglwr am roi '91 ar y rhifyn Nadolig. Ac am ei fod yn odli neu'n canu cloch neu rywbeth, mae'n gyrru fy meddwl yn ôl i 1923. Dyma'r dyddiad cyntaf y mae gennyf gof ei 'sgrifennu'n bwyllog mewn inc ar fore heulog yn yr ysgol bach. Ychydig o gof sydd gennyf am yr ysgol bach, ond fy mod wedi cerdded allan mewn braw ar y diwrnod cyntaf. Ond fel y mae 1923 mewn inc yn profi, mynd yn ôl fu fy hanes, i dynnu llun dyrnwr ac injan nad oedd yn plesio'r athrawes, a llun blodau drops digon academaidd i blesio pawb.

Os crwydro, waeth i mi neidio dwy ganrif mwy na pheidio, i'r flwyddyn 1723. I egluro, cawsom gerdyn Nadolig gan Emrys Parry, o Norwich, llun cryf mewn du a gwyn o eglwys Llanfihangel Bachellaeth, 'y lle tawela 'ngwlad Llŷn' ac ati. Yn sicr mae'n dawel yno, ar y ffordd sy'n troi'n llwybr glas ar ôl pasio'r eglwys i gyfeiriad Nanhoron. Does dim byd neilltuol yn yr adeilad ei hun, na thlysni clyd fel Llandudwen, y naill eglwys a'r llall erbyn hyn yn perthyn i blwy 'Buan.

Bu Myrddin Fardd wrth gwrs yn lloffa yn y mynwentydd, ac o restr priodasau prin Bachellaeth cododd gofnod Lladin am briodas John Ellis o'r Gwynfryn, yn 1723. Doedd Lladin y person ddim yn rhy gywir, ond y peth difyr am y cyfeiriad ydi'r gair 'Tincor' ar ôl enw'r priodfab.

Rhoddwyd yr un disgrifiad fel 'dyer' yn yr achau gan J.E. Griffith.

Felly gwyddom mai 'llifwr' oedd mab y Gwynfryn, yr unig un y nodir ei grefft o blith unarddeg o blant Richard Ellis a Jane, merch Portinllaen. Ychydig iawn o sôn am lifo a glywn heddiw. Bu amser pan oedd siopau'r llifwyr, neu'r asiantaethau, yn amlwg yn y trefi, a'r enwau amlycaf oedd Pullar, a Johnson. Llifo oedd y ffordd gynnil o estyn oes dilledyn ac arbed prynu o'r newydd, ond byddai'n debycach i John Ellis fod yn wneuthurwr lliwiau, yn llifwr yn yr ystyr honno.

O blanhigion y ceid llawer o'r lliwiau. Ceid un lliw o'r banadl a melyn cryf o flodau'r crocus, ac mae hen hanes i'r lliw glas y byddai'n cyndadau'n ei beintio ar eu crwyn, o'r planhigyn 'woad' neu Isatis Tinctoria y rhestrir wyth o enwau Cymraeg iddo yn llyfr Meirion Parry, yn cynnwys Glas a Glaslys. Ac yn ei bennod ar Ap Fychan yn Cartrefi Cymru, mae O.M. Edwards yn disgrifio'r hogyn tlawd yn casglu cen cerrig at gael deupen llinyn ynghyd, ac meddai, 'Defnyddid y cen i lifo dillad ac nid oes bosibl cael lliw prydferthach'. Gwelais innau siwt frethyn unwaith gan berchennog ffatri wlân Penmachno, a'i hedafedd amryliw, yn ôl y gwehydd, yn efelychu blodau'r gwanwyn.

Anaml, ar y cyfan, y nodir crefft neu alwedigaeth mewn cofnodion nac ar gerrig beddau. Diogelir y cof am swyddi'r rheithoriaid a'r curadiaid, cryn ddeuddeg ohonynt ym mynwent Llanystumdwy. Oherwydd colli llawer o ddynion ar y môr yn nyddiau'r llongau hwyliau, cofir am y capteiniaid a'r morwyr; Owen Owen (mab John Owen ffatri Gwynfryn) 'chief mate y Bee's Wing' a fu farw yn Rio de Janeiro. Yn Rio hefyd y collwyd un o feibion y Bercin, a cholli capten y llong Talarfor, a'i fab wedyn ar y Sidney Grace. Ymysg y galwedigaethau cawn saer coed, llythyrgludydd, dilledydd, gof, a'r diddorol Morris Griffith,

Saer Troliau. Gofalwyd rhoi Cariwr ar ôl enw Owen Morris, tad Daniel Morris a ddaeth yn harbwr-feistr Porthmadog. Mae Gwasanaethwr yn y Glyn Cywarch, Meirionydd, yn swnio'n rhamantus, ond yn Saesneg fel rheol y cofnodwyd gwasanaethyddion y plasau: Nathaniel Humphreys, cook to the Plashen family, Ann Proctor, 24 years in the service of Mrs Priestley; butler hefyd, a coachman. Fel y gellid disgwyl i fynwent sydd ar lan yr afon, mae cerrig coffa i ddau felinydd, er mai'r gair 'miller' a ddewiswyd.

Gwyddom y byddai Richard Lloyd yn rhoi 'Gwneuthurwr' uwchben drws ei weithdy crydd, a gelwid y cryddion – nid gan Richard Lloyd chwaith – yn Cordwainers. Yn rhestr y plwy, disgrifir Thomas Williams fel Corvisor, bu yntau farw yn 1723. Chwiliais eiriaduron pedair iaith, ond heb gael corvisor. Eto mi gefais ystyr cortina yn y geiriadur Lladin, a chan fod y cwmnïau ceir mor hoff o eiriau Lladinaidd, mae'n iawn inni sylweddoli mai ei ystyr ydyw crochan neu sosban.

(Ionawr 1993)

T.J. Pencerrig

'Yr oedd gan yr Athro Henry Lewis ddarlith . . . ' meddai T.J. Morgan yn un o'i ysgrifau, gan ddwyn i gof rhywbeth a fu'n ddeunydd digon poblogaidd ac sy'n dal i fod yn gyfrwng cyhoeddus o hyd. Disgwylid i'r ddarlith gynt fod yn berfformiad, a phery'r traddodiad hwnnw eto fel yn achos Hywel Teifi Edwards.

Byddai 'gan' bregethwyr, yn enwedig, eu darlithoedd, yn enwedig pan ddaeth yn ffasiwn i'r rhai mwyaf cefnog yn eu plith deithio i wledydd y Beibl. Credaf i O.E. Roberts ddweud ei fod yn traddodi darlith felly union gan mlynedd i'r diwrnod yr oedd John Jones, Abercin, yn teithio i'r Dwyrain Canol, ac mae rhai ohonom yn cofio Bob Owen, Croesor, yn traethu ar Thomas Jones, yr Almanaciwr, a William Rowland ar Robert Jones, Rhoslan.

Drwy hynawsedd Dewi Williams cefais fy nghludo i wrando a gweld darlith Prys Morgan, mab T.J. Morgan, yng Ngholeg y Brifysgol, Bangor, ar Thomas Jones arall, yr artist o Bencerrig. 'Darlith R.T. Jenkins' am eleni oedd hon. Mae Prys wedi etifeddu talent ysgolheigaidd a ffraethineb ei dad, ac aeth yr awr huawdl a darluniedig heibio fel y gwynt.

Ganed Thomas Jones yn 1742, ond prin y bu cyfeiriad ato yn y geiriaduron am artistiaid, ond rhoddwyd gofod sylweddol iddo yn y Bywgraffiadur Cymreig, gan i'w hunangofiant ddod i'r fei yn 1951 ac felly mewn pryd i'w ddefnyddio yn y Bywgraffiadur a gyhoeddwyd yn 1953. Symudodd teulu T.J. o Lanfihangel Bryn Pabuan, Sir

Frycheiniog, i blasty Trefonnen yn ardal Llandrindod. Cefnder a chyfnither oedd y tad a'r fam, a'r Annibynwyr cyntaf yn sir Faesyfed. Yn wahanol i'r gwŷr tiriog eraill, byddai'r tad yn gwrthod mynd i hela. Hoff bregethwr y teulu oedd John Thomas, Rhaeadr Gwy, awdur 'Rhad Ras', 'yr hunangofiant Cymraeg cyntaf' ac meddai'r darlithydd, 'eu hoffter oedd darllen, gwrando pregeth, a gwneud arian – nodweddion anghydffurfwyr da . . . '

Dyma'r teulu a sefydlodd Landrindod fel Spa a chanolfan gwyliau, ond ffieiddiodd y tad rhag llwyddiant a phoblogrwydd ei fenter, a symudodd o olwg a sŵn y lle i blasty Pencerrig, Llanelwedd. Dyma lle dechreuodd y mab ddangos diddordeb mewn arlunio, gan brynu'r offer angenrheidiol mewn siop yn Aberhonddu. Syndod i'r darlithydd, ac i'w gynulleidfa, oedd deall bod siop o'r fath ar gael yn Aberhonddu yng nghanol y ddeunawfed ganrif. Y cam nesaf i Thomas oedd mynd i Goleg yr Iesu, Rhydychen i'w baratoi i fynd yn berson, ar ôl cael addewid am gefnogaeth ariannol gan ewythr iddo. Ond bu'r ewythr farw heb wneud ei ewyllys. Un canlyniad i'r cyfnod hwnnw yn Rhydychen oedd iddo benderfynu mai artist a fynnai fod, a chanlyniad arall oedd iddo gymryd deng mlynedd i glirio biliau cegin y coleg am fwyd a diod. Yr oedd ei dad yn aelod o'r 'Society of Arts', fel ei gyfaill mawr Howel Harris, ac mae'n ddiddorol mai amaethyddiaeth oedd un o brif ddiddordebau'r gymdeithas honno.

P'run bynnag, i Lundain yr aeth y mab, i'w ddysgu gan Richard Wilson, a chware teg i Wilson, bu'n foddion i ddeffro diddordeb ei ddisgybl yn hanes Cymru. Yn ôl ffasiwn ei gyfnod aeth Thomas i Rufain, i beintio ac i ennill ei damaid fel tywysydd. Ond yr oedd yn gas ganddo'r lle, a symudodd i Napoli er mwyn cael gwell noddwyr. Yno bu'n byw am dair blynedd yng nghwmni Maria Monk o Ddenmarc, a ganed dwy ferch iddyn nhw.

Er ei fod yn hollol abl i beintio yn null blaenoriaid y paent yn y ddeunawfed ganrif, megis Wilson, dechreuodd ddilyn ei lwybr ei hun, a darlunio dinas Napoli a mannau eraill yn union fel y gwelai hwy. Debyg mai Thomas Jones oedd peintiwr mwyaf modern a thrawiadol ei naws yn y ganrif honno, yn creu gweithiau sy'n ein hatgoffa o luniau ac arddull nodweddiadol ein canrif ni. Yr oedd y gyfres oludog o sleidiau yn rhan hanfodol o'r ddarlith, ac wrth fynd heibio, mi deimlais i fod rhai o ddarluniau Rob Piercy yn yr Amgueddfa yn Llanberis yn ddiweddar yn perthyn i'r un byd ag astudiaethau Thomas o fynyddoedd a chreigiau a cheunentydd.

Priododd T.J. a Maria ar ôl etifeddu Pencerrig, ac yno y bu yn feistr tir a sgweiar parchus ac ynad heddwch, a bu farw yn 1803.

(Mehefin 1993)

Tua Chas-mael

Yr oeddem yn edrych ymlaen ers misoedd am fynd unwaith eto i Sir Benfro, ac o'r diwedd dyma gychwyn ar fore heulog ac anelu at i lawr. Dyna'r teimlad a gawsom nad ein gwaethaf gan y map, ond dyna'r teimlad naturiol bob amser hefyd, eich bod yn mynd ar i waered wrth gyfeirio tua Dyfed a'r deheudir, pa faint bynnag o elltydd sydd i'w dringo ar y daith. Roeddem yn mynd heibio i Ddolgellau pan oedd y bysus yn troi i mewn am yr ysgol, ac ar ôl munud neu ddau ym Machynlleth, mynd heibio i Aberystwyth a dilyn y glannau i Aberaeron. Model o adeiladu trefnus goleuedig fu'r dref hon ('pentref' yn ôl T.I. Ellis yn 'Crwydro Ceredigion'), ac mae iddi dipyn o gymeriad o hyd o gwmpas yr harbwr lle mae'r hwyaid yn fflip-fflapian yn gartrefol o gwmpas eich traed. Digon o gychod hwylio, wrth gwrs, ac ardal morwyr fu hon ers cenedlaethau gynt, ond dim byd tebyg i smartrwydd cystadleuol byd yr hwylio ym Mhwllheli a Phorthmadog.

Oherwydd y bont newydd a'r ffordd osgoi, does dim rhaid bellach mynd trwy Aberteifi, a buan iawn yr oeddem yn cyfeirio at fynydd y Preseli. Ni welsom na cherbyd na chreadur am filltiroedd, ond cyn bo hir dechreuodd yr hen sir ar ei thriciau arferol a'n hudo ar hyd ffyrdd-plwy dyfnion a chulion cyn cyrraedd golau dydd unwaith eto a gadael inni droi i'r cefn gwlad golau lle saif argae mawreddog a chanolfan Llys y Frân, cyfuniad ysblennydd o egni'r Bwrdd Dŵr a'r Bwrdd Croeso, deuawd lwyddiannus Prys Edwards a John Elfed Jones. Ond yn ysgol Cas-mael yr oedd fy neges, a dyma brysuro tuag yno dros y milltiroedd gleision di-draffig.

Mae pum ffordd yn cyfarfod yno, ac wedi inni gyrraedd y pentref a'r ysgol, teimlem braidd yn ofnus wrth weld y rhesi o geir moethus y tu allan iddi, ond erbyn deall, cyfarfod prifathrawon y cylch oedd yno. Ac mae yno yn yr ysgol neuadd fawr olau a llwyfan helaeth. Fe'i codwyd yn y pumdegau diweddar, yn y cyfnod pan oedd awdurdodau addysg yr hen siroedd yn ddiarbed o hael wrth godi adeiladau newydd. I ddod yn nes adref, dyna'r adeg y cafwyd yr estyniad gyda'r neuadd a'r labordai a'r ystafell gelf a'r gegin-ginio yn yr hen ysgol ramadeg ym Mhwllheli. 1959 oedd y flwyddyn, ond eisoes yn 1993 mae'r cyfan yn cael ei chwalu'n gwbl fandalaidd er mwyn codi rhyw goleg newydd. Aed â defnyddiau dethol 1959 i'r domen sbwriel.

Prifathro Cas-mael ydyw Alun Ifans, Sarn Bach gynt, nad oeddwn wedi ei weld ers pan fu'n actio ymhlith cwmni cyfun o actorion y Gegin a disgyblion yr ysgol ramadeg gryn dipyn o flynyddoedd yn ôl. Mae ganddo ddwy athrawes, un ohonynt yn teithio bob dydd o sir Forgannwg. Trigain o blant sydd yn yr ysgol. Diddordeb Alun Ifans ydyw casglu darluniau gan arlunwyr cyfoes i'w dangos yn barhaol yn yr ysgol, a bu'n ddigon dyfal i grynhoi nifer go helaeth erbyn hyn. Y prynhawn hwnnw, fel pob dydd Iau mae'n debyg, roedd ganddo athro wedi ymddeol yn cynorthwyo efo dosbarth i wneud gwaith llaw. Erbyn deall, yr athro hwnnw oedd Brian Jones, sy'n adnabyddus iawn ymysg y criw o wŷr Eifionydd yn bennaf a fydd yn cyd-letya yn yr Eisteddfod bob blwyddyn dan arweiniad y cyfaill D. Glyn Williams.

Cefnu ar yr ysgol braf ac ymlaen ar ein hunion ar hyd y ffordd i gyfeiriad Abergwaun, a phenderfynu ar ôl cyrraedd ffordd Aberteifi na fuasai waeth inni droi i'r chwith ac ymweld â Thyddewi unwaith eto, fel pererinion teilwng. Mae'r hen eglwys fel peth byw, a rhywun yn cael golwg newydd arni bob tro, a'i mawredd yn peri i rywun deimlo fel trychfilyn. Mae ei huchter yn codi'r bendro, a'r syniad bod rhywun wedi codi pob un o'i meini anferth i'w lle yn llethu rhywun. Ond wedi'r cyfan, mae hi'n un o'r saith rhyfeddod, ac yn uchafbwynt ar ben y daith, cyn troi am adref.

(Gorffennaf/Awst 1993)

Hugh Hughes Pwll Gwichiaid

Dau gwestiwn. Yn gyntaf, ble mae Pwll Gwichiaid? Wel, yn Llandudno yr oedd gynt, 'y ffermdy mwyaf yn y plwyf' yn ôl Myrddin yn ei 'Enwogion Sir Gaernarfon', 'yn y fan a elwir South Parade, Ychydig yn nes i'r môr na'r National & Provincial Bank'. Erbyn hynny yr oedd y tir dan strydoedd ac adeiladau, a stad Mostyn yn prysur ddatblygu'r lle fel patrwm o dref glan-môr y cyfnod, lle na chynhyrchid dim ond darpariaeth ar gyfer ymwelwyr misoedd yr haf. Petaent wedi bod yn fwy llygadog, buasai ffarm fawr rhwng M & S a'r Gogarth yn atyniad cryf i dwristiaid heddiw. Mae rhai ohonom yn cofio fel y byddai'r gwartheg yn cerdded yn lôn Berch erstalwm i'w godro yn y dref, ym Mhwllheli, a'r beudy hwnnw ym Mhorthmadog a'i domen y drws nesaf i waith potelu R.M. Jones.

Yr ail gwestiwn: Pwy oedd Margaret Ellis, ond ei bod yn un o Lanystumdwy? Hyd y gwn i, nid oes neb wedi olrhain ei hachau hi, cyn iddi briodi Hugh Hughes o Lanfrothen, a symud i Landudno. Aeth eu mab Thomas i ffermio Pwll Gwichiaid, a mab iddo oedd Hugh Hughes yr arlunydd. Felly yr oedd Margaret Ellis 'o Eifion' chwedl Myrddin, yn nain i un o Gymry mwyaf nodedig y 19 ganrif. (Yn 'Cymru' 1896 mae Meiriadog, y Bedyddiwr a'r bardd, yn cyfeirio at aelod o deulu diweddarach Pwll Gwichiaid, a oedd yn cynnwys pedwar-ar-ddeg o feibion.)

Erbyn hyn, wrth gwrs, i lafur ac ymroddiad Peter Lord yr ydym yn ddyledus am roddi'r lle teilwng i Hughes yn ein

hanes. Trefnodd arddangosfa fawr o'i waith yn 1990, a'i sefydlu fel 'Arlunydd Gwlad'. Peter Lord, mae'n siwr, fyddai'r cyntaf i gydnabod ei fod yn llawer mwy na hynny mewn gwirionedd. Fel y gwyddom, mae ystyr neilltuol i 'fardd gwlad' er enghraifft, sy'n golygu bardd bro fel rheol, ond er bod i'r arlunydd gwlad rai nodweddion tebyg, megis bod heb hyfforddiant academaidd, gwir arwyddocâd Hugh Hughes oedd ei fod hefyd yn perthyn i brif ffrwd y berw crefyddol yn ystod ei yrfa. Bron na ellid honni mai'r Methodistiaid oedd gwir lywodraeth Cymru. Drwy briodi Sarah, merch David Charles, Caerfyrddin, bron nad oedd yntau'n rhan o'r 'sefydliad'.

Gadawodd Landudno am Lerpwl, ac wedyn i Lundain, a dyfod yn arlunydd eithriadol o fedrus gyda'i engrafiadau ar bren. Ei waith mawr oedd y Beauties of Cambria, engrafiadau ar bren yn darlunio golygfeydd ym mhob cornel o'r wlad. Golygai hynny deithio'n llafurus ar droed neu ar geffyl am gannoedd o filltiroedd ar bob tywydd.

Un anfantais fawr wrth deithio cymaint oedd gorfod aros mewn tafarnau, rhai digon di-lun yn aml, a'r cwmni'n dibynnu ar siawns. Mewn un lle dros y goror yn Lloegr, clywodd farn am y Saeson a'r Cymry . . . 'Mi wneiff y Cymro mewn deuddydd gymaint ag a wneiff Sais mewn tridiau. Dydi'r Cymry ddim yn byta hanner cymaint ag ereill . . . os cant ddigon o lastwr, chlywir monynt yn cwyno . . . Rhaid i'r Saeson gael o chwech i ddeg chwart o gwrw bob dydd.' Ac meddai, 'Roedd yn dda gennyf y fath yna o glod i nghydwladwyr gan yr estroniaid yma.' Yr oedd yn felltithiwr heb ei ail ar ambell lety digroeso, ac yn sicr yn melltithio Sir Benfro: 'town i'n leicio dim o'r bobl, 'rown yn teimlo mai megis anialwch gwag erchyll yw pob gwlad pa mor amled bynnag fo ei phobl lle na bo cyfeillion; er pan ddaethum i'r sir 'rown yn teimlo ac yn ymddwyn fel estron, yn meddwl na welwn, mwy nac y gwelswn, ac yn gwir ddymuno na welwn byth mwyach mo wynebau'r trigolion nac chwaith eu gwlad. Oherwydd hyn rwyf yn llawen mai dyma'r noswaith olaf.'

Bu'n byw yn Lerpwl ac yn Llundain, mewn helyntion enwadol a chrefyddol droeon, yn argraffydd a golygydd a chyhoeddwr, yn bortreadydd mewn olew ac yn engrafydd ar fetel ac ar bren. Bu hefyd yn byw yng Nghaernarfon. Cymeriad hynod iawn, ond ni chlywais erioed unrhyw gyfeiriad ato mewn nac ysgol na choleg. Ac mi fyddai'n braf medru gwybod ble'n hollol yn y plwy hwn y magwyd ei nain.

(Hydref 1993)

I ben yr Wyddfa

Fel enghraifft o'r wireb nad oes dim newydd dan haul, dyma nodiad gan Carneddog union gan mlynedd yn ôl, yn 1894. 'Ef yw cadeirydd y ddyfais fawr o wneuthur tynel o dan y culfor i uno Lloegr a Ffrainc, a bu yn darlithio droeon gyda hwyl ar y cyfryw gynllun ym mhrif leoedd y deyrnas.' Am Syr Edward Watkin y mae Carneddog yn sôn, ac yr oedd y dyddiad 1894 yn fy ngyrru i feddwl am ein syniad o amser. Er mwyn cymhariaeth, siawns nad ydi'r cof am Eisteddfod Caernarfon yn 1959, 35 o flynyddoedd i eleni, ddim yn perthyn i'r gorffennol pell nac yn 'erstalwm' i rai ohonom ni. Siaradaf ar fy rhan fy hun, wrth gwrs, a dyna'r union flwyddyn o ran nifer ag oedd rhwng 1894 a'r flwyddyn yr oeddwn yn mynd i ysgol y sir ym Mhorthmadog yn 1929.

Yn yr ysgol honno, yn dysgu daearyddiaeth a hanes inni yr oedd William Morgan Richards, ond disgybl sâl iawn oeddwn i mewn hanes. Pethau diystyr oedd enwau brwydrau'r Rhyfel Cartref heb sôn am restr Prif Weinidogion Prydain yn y 19 ganrif a'u henwau'n dechrau efo P. Ond yr oedd blas ar ddaearyddiaeth, a chymwynas arall gan Mr Richards oedd mynd â chriw ohonom ar fwy nag un cyrch i ben yr Wyddfa. Y drefn fyddai cychwyn trwy dir y Ffridd gyferbyn â chraig a enwyd ar ôl un o'r prif-weinidogion P-aidd hynny [sef Pitt], a dychwelyd i lawr Bwlch y Saethau trwy Gwm Llan i gyfarfod y bysus ar ffordd Nant Gwynant. Llwybr Watkin oedd hwnnw, a luniwyd gan y Syr Edward haelionus a chyfalafol hwnnw a oedd, yn ôl Carneddog, yn un o'r Ceidwadwyr Rhyddfrydol ac yn elyn i ymreolaeth. Credai y dylid agor camlas ar draws Iwerddon o fôr i fôr i rannu'r ynys yn ddwy ac i roi gwaith i'r Gwyddyl. Ond dyna hanes y ceidwadwyr o hyd; dadwneud popeth sefydlog ac eithrio trefn cyfalafiaeth ac elw.

Mi fûm i ben yr Wyddfa o'r 'llwybr Beddgelert' hwnnw droeon ar ôl y teithiau hynny o'r ysgol, ac o ysgol Pwllheli wedyn hefyd. Ac unwaith, yng nghwmni dau arall, dringo i'r copa dros y Grib Goch ac yn ôl ar hyd erchwyn y Lliwedd. Yn yr ysgol teimlem rywsut fod yr Wyddfa'n rhan o'r libart, a hanes hefyd fel petai'n bresennol yn y dref. Yr oedd y Traeth Mawr dan ein traed, ynghyd â'r Cob, ambell long, Tremadog, Tanrallt, ac yr oedd blas lle cymharol newydd yno o hyd. Erbyn hyn, fwy neu lai, mae wedi mynd i fod yn lle newydd-newydd.

Eto mae gennyf rywbeth i'w ddweud wrth y lle. Un rheswm am greu math o gydymdeimlad oedd y daith i'r ysgol bob dydd ar y trên o Gricieth. Caem gwmni agos y môr ar y dde cyn belled â'r Greigddu, cribau'r Pennant a Moel Hebog yn arwyddion tywydd ar y chwith, ac wedyn Moel y Gest rhyngom a'r awyr cyn wynebu Creigiau'r Dre a chael y Cnicht a'r Moelwyn yn gefn llwyfan y tu draw i'r ysgol ar wastad y Traeth Mawr.

Yr wyf wedi enwi pethau a fu o flaen fy llygaid, ond rhaid mynd at yr optegydd yn weddol gyson erbyn hyn. Ar y tro arferol y llynedd, un o'r pethau cyntaf a ddywedodd oedd 'Mae'ch golwg chi wedi gwella'. Cytunais yn llawen a sôn gymaint mwy nag a welwn gynt a welaf y dyddiau hyn yn holl fywioldeb llun a lliw a phatrwm ar Greigiau'r Dre a'r cymoedd a choed bach derw ceinciog y Wern. 'O', meddai'r optegydd, sy'n ŵr hynaws a diwylliedig, 'eich dychymyg chi ydi hynna'. Wel, rhaid derbyn gair dyn wrth ei broffesiwn, ond eto dydw i ddim yn hollol siŵr chwaith rywsut.

(Chwefror 1994)

Siap T ac ati

Yn ddiweddar, uwchben erthyglau wythnosol Angharad Tomos, Alun Lloyd ac Ernest Jones, mae'r Herald Cymraeg yn defnyddio llythyren newydd yn y penawdau. Dyma'r llythyren Optima, a ddewiswyd ar gyfer teitl blaen Y Ffynnon o'r cychwyn, a gellir ei chael, yn drom neu ysgafn, mewn tri ar ddeg maintioli gwahanol. Llythyren hynaws hefyd, heb iddi unrhyw awgrym swyddoglyd.

Amrywiadau ar lythrennau 'Rhufeinig' a fu o'n blaen ran amlaf erioed, ers dysgu darllen yr Abiec yn y dechrau. Hawdd dirnad pam fod O yn O, ac I neu S yr hyn ydynt hwyrach, ac i'r Groegiaid yr ydym yn ddyledus am yr Abc. Gan eu bod yn gymaint rhan o'n bywydau, dim rhyfedd bod gwahanol artistiaid wedi eu defnyddio'n destunau, fel David Jones a'i ychydig lythrennau Rhufeinig yn ffurfio geiriau Cymraeg a Lladin, eu lliwio a'u cyflwyno fel llun. Os ydyw siap tŷ yn ddarluniadwy, pam nad siap T? Gwelais waith newydd Mary Lloyd Jones yn ddiweddar, lle ceir geiriau a hyd yn oed englyn cyfan yn rhan o gyfansoddiad llun mewn paent.

Crybwyllais waith Ernest Jones yn yr Herald Cymraeg. Rai misoedd yn ôl bu'n sôn am lyfr gwerthfawr Penri Jones, Capeli Cymru, a'r blas a gafodd arno. Tybed a welodd Mr Jones lyfr arall (gan Jones eto) ar yr un maes, sef Capeli Cymru gan Anthony Jones, pennaeth coleg celf enwog Glasgow. Fe'i cyhoeddwyd gan yr Amgueddfa Genedlaethol yn 1984, ac y mae ynddo ddarluniau ysblennydd, a rhai mewn lliw. Mae'n sôn hefyd am y dynion a gynlluniodd y capeli, yn enwedig tua diwedd y ganrif ddiwethaf, ac yn crybwyll esiamplau o rai y dylid eu diogelu. Un ohonynt oedd Capel Coffa Emrys ym Mhorthmadog, ond dymchwelwyd hwnnw bellach. Mae hefyd yn nodi Capel Seion, Cricieth fel un i'w ddiogelu. Ac un pwt o wybodaeth annisgwyl – yn cynorthwyo gyda chodi capel y Tabernacl, Rhuthun, yr oedd neb llai nag Emrys ap Iwan.

Y Wasg Gymraeg oedd pwnc un o'r siaradwyr ar raglen radio Vaughan Hughes y diwrnod o'r blaen. Soniodd am yr Herald Cymraeg a'r Cymro, dau y byddaf innau'n eu darllen bob wythnos, a'i feirniadaeth oedd nad oes ynddynt benawdau digon bachog. Ni fedraf gredu mai penawdau ynddynt eu hunain sy'n denu darllenwyr, ac nid oherwydd pennawd y byddaf yn darllen y ddau bapur, ond am fy mod yn eu derbyn yn gyson ac yn arfer eu darllen. Bu cryn dipyn o gyfeirio at y 'Sun' yn y rhaglen, ond prin y byddai rhai ohonom yn gwybod dim am hwnnw ond bod papurau eraill mor hoff o gyfeirio ato. Wrth gwrs byddwn bawb yn mwynhau darllen dychan ar draul rhywun arall, yn enwedig am rai mewn uchel swyddi, ond mae'n siwr mai ein dychanu ni ein hunain fyddai'r ymarferiad mwyaf llesol.

Erbyn meddwl, dyma gofio i mi lunio rhyw ddarn bach ysgafn dychanol cyn belled â thrigain mlynedd yn ôl yn 1934. Cyhoeddwyd fod y tywysog Edward, o Simpson goffadwriaeth, yn dyfod trwy Borthmadog ar un o'i deithiau. Fe'n harweiniwyd yn un orymdaith o'r ysgol i'r Stryd Fawr a'n gosod i sefyll o flaen Capel Salem gyferbyn â Neuadd y Dref. Ymhen hir a hwyr dyma'r fflyd dywysogaidd yn dynesu, a swm y cyfan oedd i'r dyn ifanc llwydaidd droi ei wyneb ychydig i'r dde a hanner codi ei law i'n cydnabod. Dyna'r cyfan. Dychan? Oedd, debyg, gan mai'r unig beth yn y tipyn ysgrif oedd disgrifiad moel o'r achlysur, heb fawl na bri. Na, fe dorrwyd un frawddeg ohoni gan Mr Dodd, lle'r oeddwn wedi awgrymu fod yr athrawon wedi colli eu cwpanaid te arferol y bore hwnnw. A phrun bynnag, yn Saesneg yr oedd y cyfan.

(Mawrth 1994)

Hen hafau

'Bed Plu' meddai Bobi Davies yn ddwyieithog wrth godi pluen aderyn to oddi ar garreg fawr pen cilbost wrth giât yr ysgol, a'i osod ei hun i orwedd ar y cerrig fel parodi o wely. Pam fod rhywun yn cofio rhyw fymryn o eiliadau felly? Mae mwy na thrigain mlynedd er hynny, ond gwn ei bod yn dywydd braf, fel y tueddwn i weld mewn atgof am y dyddiau a fu. Erbyn hyn, yn ôl y gwyddonwyr a'r haneswyr hinsawdd, mae'r tywydd yn wahanol. Eleni, ym mis Mai, cawsom rai dyddiau heulog a dim mwy na chwe diwrnod gwlyb, ond teimlem yn anfodlon am fod dyddiau gwir braf yn brin, a'r gweddill yn oer neu wyntog neu gymysglyd ar y gorau.

Heddiw, y pumed o Fehefin, mae'n fore heulog ar hyn o bryd, ond eto'n ddigon gwyntog ac oer braidd. Gynt, yn Nant Gwrtheyrn, byddid yn cyhoeddi seiat noson waith gyda'r amod 'os na fydd llong'. Dibynnai hynny ar y tywydd ac ansawdd y fordaith, ond mater o raid oedd mynd ati i ddadlwytho a chario os cyrhaeddai'r llong. Ac 'os bydd hi'n braf' meddwn ninnau o hyd am ryw addewid gobeithiol os ansicr ynghylch rhyw drefniant neilltuol. Gwirionedd hunan-amlwg oedd yr arysgrif ar gloc haul: 'Horas non numero nisi serenas' – 'Ni chofnodaf ond yr oriau heulog'.

Wrth gwrs mae'n syniad ni o dymor yr haf wedi newid hefyd. Byddai diwedd y gwanwyn fel petai'n digwydd mewn un diwrnod. Ryw fore wedi'r gwanwyn clywem sŵn plant y pentref a'u lleisiau yn atseinio o waliau'r bont, yn enwedig gan fod yma garreg ateb, a dyna lle byddent yn eu crysau gwynion agored yn arwydd amlwg o'r neges 'Fe roed y gair, fe ddaeth yr haf'. Carreg filltir amseryddol arall fyddai ffair gynta'r haf, yr enw ar ffair Cricieth ar ddiwedd y drydedd wythnos ym Mai, ac eisoes eleni yn y tŷ hwn clywais sôn fel y bydd yr haf yn darfod ar ôl Ffair Ŵyl Ifan ar y nawfed ar hugain o Fehefin.

Eto, oherwydd gwyliau ysgol dros ddarn o Orffennaf hyd ddechrau Medi, dyna'r amser y byddem yn ei gyfri'n haf o ddifri. Felly, Awst oedd mis mynd i lan y môr i ymdrochi a dysgu nofio. Prynu potelaid o Vantas yn siop Jane Jones, a cherdded rhwng cloddiau a fyddai'n clecian ac yn suo yn y gwres. Canllawiau pont y lein yn bersawrus boeth, ac ymlaen i draeth Ynysgain Fawr, y dewis le digwestiwn bob amser. Gyda lwc cyrhaeddem ar ben llanw, ond bodloni ambell dro ar neidio rhwng y cerrig llithrig y tu allan i'r Garreg Fawr os byddai'n drai. Erbyn hyn mae hyd yn oed casgliad y meini duon yn y llecyn hwnnw wedi newid ei gymeriad a ffurf y traeth yn wahanol. Yn ddiweddarach, yn nyddiau'r ysgol sir byddai criw ohonom yn cysgu mewn pabell ar dir Cefn Castell am rai wythnosau. Does gennyf ddim cof inni gael glaw yr adeg honno, nac ychwaith yn yr hafau y bu John Gruffydd Williams a minnau yn pabellu ar gae Tŷ Hen yn y baradwys a elwir Mynydd Anelog. Un achlysur yn yr wythnos flynyddol honno fyddai mordaith i Enlli, ar ddiwrnod heulog a thros fôr llonydd wrth gwrs. 'Cymry ydach chi?' gofynnodd un o'n cyd-deithwyr cefnog yr olwg ryw dro. Ninnau'n cadarnhau. 'Ro'n i'n gweld golwg go gall arnoch chi' meddai yntau.

Un arall o arwyddion yr haf yn y pentref oedd y merched (a merched oeddynt ran amlaf) a eisteddai ar y garreg fwyaf yng ngwely caregog afon Dwyfor islaw'r bont i ddarlunio'r olygfa. Gwisgent ffrogiau haf a hetiau haul, ac y mae'r cof am yr olygfa honno hefyd yn dangos fod ymddygiad yr afon wedi newid erbyn hyn. Ar 'isaf fis haf' byddai'n ddigon hawdd cyrraedd o garreg i garreg i'w chanol y tu isaf i Lyn Tan Capel. Ond eto, yr oedd yr un mor hawdd cael codwm dros eich pen i'r dŵr hefyd, fel y profais o leiaf unwaith.

A dyma hi'n chweched o Fehefin eto. Clywais eisoes ar y radio y bydd niwl a glaw mân heno, ond heb gymorth radio na dim byd arall gallaf weld rhyw smwclaw yn sgubo dros y ddôl o'm blaen. Does dim prinder dŵr i'r tatws a phopeth arall yn yr ardd, ac os bu angen cofio llinell Williams Parry mai 'deilio fu raid i'r ynn', mae'r arwyddion erbyn hyn wedi mynd i eithafion, a'r ynn yn gymylau gwyrddion rhyngof a'r awyr.

Does dim llawer o newid ar y drefn, diolch am hynny, ond eto mi fyddwn yn falch o allu ail-adrodd gair arall y bardd yn yr un gân – 'Fe roed y gair, fe ddaeth yr haf'.

(Mehefin 1994)

Radon

Os caf ddeintio am funud i fyd gwyddoniaeth, mi ddylwn fod wedi cyfeirio ers misoedd at fyd y RADON. Llynedd, darllenais ym mhapur yr Independent fod proses ar gael, yn rhad ac am ddim, i fesur RADON mewn tai. Felly, dyma ni'n ymateb ac anfon at y Bwrdd Radioleg yn Sir Rhydychen am ragor o wybodaeth.

Cawsom ateb ar unwaith a llyfr sy'n esbonio cymaint ar y mater ag y disgwylid i breswylwyr cyffredin fel ni ei ddeall. Nwy ymbelydrol ydyw Radon, heb iddo flas na lliw nac aroglau. Mesurir ymbelydredd yn yr awyr mewn unedau 'becquerel i'r medr ciwbig' (Bq/m^3).

Cyfartaledd y gwastad yng ngwledydd Prydain yw $20Bq/m^3$. Ffynhonnell y nwy ydyw'r radium a gynhyrchir gan ddirywiad naturiol ac ymbelydrol uranium, sy'n bresennol i ryw raddau ym mhob math o bridd a chraig, ac yn amrywio o ardal i ardal ac o le i le. Bu llawer o sôn am ei bresenoldeb yng Nghernyw a Dyfnaint, lle mesurwyd rhai o'r lefelau uchaf, ond cafwyd rhai cyfuwch mewn llawer rhanbarth arall. Mae'n amrywio hefyd rhwng haf a gaeaf.

Gyda'r wybodaeth cawsom ddau flwch plastig bychan, un i'w osod mewn ystafell ar lawr y tŷ, a'r llall mewn llofft. Eu gadael yno am dri mis, a'u dychwelyd wedyn i'r ganolfan. Wedi gwneud hynny a'u hanfon i ffwrdd cawsom y canlyniad ganol Chwefror eleni, sy'n dangos cyfartaledd lefel Radon yn y tŷ hwn (fel y byddai dros flwyddyn) o $87Bq/m^3$. Mae hynny'n is na'r lefel sy'n gofyn gweithredu'n ei gylch, er ei fod bedair gwaith y cyfartaledd drwy wledydd Prydain. Dim rhaid inni weithredu felly, ond, fel ym mhobman arall, mae o yma o hyd.

Un rheswm pam yr oeddem yn dewis cymryd y profion oedd bod rhan helaeth o lawr y tŷ hwn yn llechi gleision heb ddim rhyngddynt â'r pridd, a bod ochr ddwyreiniol yr adeilad hefyd â'i lawr gryn droedfedd yn is na'r tir y tu cefn iddo. Mae hynny wrth gwrs yn wir am lawer o dai sydd â'u cefnau at lechwedd neu godiad tir.

Teimlwn rywsut hefyd yn nes i'r ddaear a'i chynnwys am fod cymaint o'r cynnwys hwnnw yn ffurf meini a cherrig bach a mawr o'n hamgylch, nid yn unig ym muriau'r tŷ, ond mewn palmant a stelin a chegin allan, sydd fel petai rhywun wedi llwyr lanhau'r ddôl sy rhyngom â'r afon a phentyrru cerrig mawr i lunio rhyw bytiau o derfyn o amgylch libart y lle, a'r rheini gynt wedi bod yn gerrig yr afon. Ar wyneb ambell un mae rhesi o riciau sydd fel olion y rhewlif wedi eu crafu. Wrth gwrs, cerrig ydyw prif nodwedd y pentref prun bynnag, o'r afon a'r bont hyd at bob adeilad a godwyd ynddo cyn canol y ganrif hon.

Mae rhyw ystyr i bob carreg a maen unigol, fel y dengys y diddordeb ofergoelus bron yn y meini hirion. Mae dewin dŵr yn cael gwefr lythrennol o'r rheini, ac ambell un yn cael sioc drydan wrth gyffwrdd uchder neilltuol ar ambell faen hir. Nid ydyw'r gair am saer maen yn golygu llawn cymaint ag y byddai, na'r maen llif a geid ym mhob ffarm a thyddyn gynt. Daliwn i grybwyll maen prawf, a phen conglfaen weithiau, maen melin a maen clo, ond eto gwahaniaethir wrth ddweud carreg sylfaen, carreg ateb a charreg filltir.

Mae pawb yn cadw ambell garreg o rywle, o'r cyflawnder sydd ar draeth Aberdesach er enghraifft, ac mae yma rai a gafwyd o'r caeau sydd yn ein hymyl – un gyda rhigol am ei chanol i'w gwneud yn ben morthwyl, a dwy o rai crynion fel peli, sydd mae'n siwr, wedi bod yn gerrigberwi o oes y cerrig. Poethi'r cerrig y byddid yn wynias yn y tân, a'u gollwng i'r dŵr mewn llestr clai i'w ferwi.

Ond pery dirgelwch ynghylch y meini hirion sy'n codi eu pennau yma ac acw. Ceir ymgais i'w dehongli fel beddfeini, neu hyd yn oed fel pwyntiau mewn llinell dros bellteroedd, sy'n faes lled-wyddonol, a rhannol ofergoelus erbyn hyn. Ond dyma un ystyriaeth betrus: tybed a oedd ein hynafiaid yn teimlo'n reddfol bod rhyw berygl dirgel yn yr hen ddaear, ac yn codi'r meini hirion fel moddion i gyfeirio a throsglwyddo'r egni a'r dirgelwch hwnnw'n ddiogel i'r gofod?

(Medi 1994)

Mochras

Ran amlaf, bydd gwylan neu ddwy yn clwydo ar grib y triawd clychau ym mhen gorllewinol to'r eglwys. Go brin eu bod yn mentro i'r tir ymhellach na'r llecyn hwn. Wynebu at y môr y byddant, fel petaent yn mesur y pellter. Tri chwarter milltir, fel yr hed yr wylan, sydd rhwng yr eglwys a glan y môr, rhwng llan a gorllanw. Wrth i mi sgrifennu hyn, dyma gŵyn neu gri gan yr wylan i gyhoeddi ei bod hi wedi glanio ar y glwyd. Mae pob sŵn yn amlwg yma. Y bont, a'r eglwys hefyd, yn gweithredu fel uchel seinydd, ac ar ddiwrnod tawel bydd sgwrs rhai sy'n pwyso ar erchwyn y bont i'w chlywed o bell. Mwynhau clywed ei llais ei hun y mae'r wylan.

Bu'r beirdd yn sylwi arni, drwy'r canrifoedd, o Ddafydd ap Gwilym hyd at John Morris Jones. Rhwng y ddau, canodd Siôn Phylip (1543-1620) gywydd i anfon yr wylan yn 'llatai', neu negesydd at ryw ferch, wironeddol neu ddychmygol, a oedd wedi mynd â'i fryd.

'Amlygwen heulwen heli,
Amlygyn tywyn wyt ti;
A fu erioed ar fôr iach
Nofyddes wen ufuddach?'

Aelod amlycaf y teulu, amryw ohonynt yn feirdd, a elwir yn Phylipiaid Ardudwy, oedd Siôn Phylip. Mab Hendre Waelod, Cwm Nantcol ydoedd yn wreiddiol, ond aeth i Fochras i amaethu, a chodi teulu. Fel y sgrifennodd rhywun amdano yn 1916, 'Gallwn synio ei fod yn tybio nad oes lannerch mwy paradwysaidd na Mochras yn bod ar y ddaear'.

'Gorynys' sydd yno, ac os edrychwn yn y geiriadur gwelwn nad oes gair Saesneg i'w gael amdano, dim ond y gair Lladin 'peninsula', sy'n gorfod gwasanaethu hefyd am 'benrhyn'. Mae Mochras yn ynys wirioneddol pan fydd y llanw dros y cob sy'n arwain yno o Lanbedr, ac yn orynys pan fydd y ffordd yn glir. Ac mae'r berthynas rhwng cwmwd Eifionydd a chantref Ardudwy yn bwnc diddorol. Gynt, yr unig ffordd rhwng y ddwy fro oedd hwylio neu rwyfo dros y môr, ac felly mewn cwch y dechreuodd Siôn Phylip ar daith glera (barddoni mewn tai i ennill ei fwyd a'i lety) yn Arfon a Môn a Llŷn. Nid oes dim o hanes y daith honno ar gael, a hynny am reswm amlwg. Rywsut neu'i gilydd, pan oedd ar gychwyn ar y fordaith adref, bu damwain ac fe'i boddwyd. Ac ar gychwyn yr oedd, nid, fel y dywedwyd lawer gwaith, o Bwllheli ond o Benychen. Oddi yno, mae'n debyg, yr oedd cwch ar gael yn rheolaidd ar gyfer croesi'r deng milltir i Fochras. Meddai cywyddwr arall, Gruffydd, un o feibion Siôn Phylip:

Tynnwch ar draws y tonnau
A'r bardd trist yn ei gist gau.

Fe'i claddwyd yn ymyl pen dwyreiniol hen eglwys Llandanwg, a chan nad oedd carreg fedd ar gael yn hwylus, symudwyd hen garreg arall i'w gosod arno, a thorri llythrennau syml I.Ph. arni. Torrwyd rhagor o fanylion arni'n ddiweddarach o gryn dipyn.

Ar hyn o bryd, mae'n golygu mwy o siwrnai na chroesi'r Traeth Mawr a'r Traeth Bach i deithio o Eifionydd i Harlech. Hyd nes y gorffennir y gwaith ar Bont Briwet, rhaid cymryd tro heibio i Faentwrog, neu wrth gwrs fentro dros y deng milltir o fôr.

(Rhagfyr 1994)

Clustiau'r ddaear

Yn ystod Mehefin daeth Guto Roberts [Rhoslan] heibio i ffilmio'r llwyni blodau, ac meddai'n sydyn yn y cae bach (neu Faes y Gwaed): 'Clustiau'r Ddaear'! Edrych ar beth a dyfai dan ein traed yr oedd – ffwng neu gen sy'n tyfu tua'r un fan bob amser. Mae'n edrych yn debyg i ddail sychion, ei gefn yn ddu a'r wyneb yn llwyd-olau neu wyn. Cofiai Guto ei dad yn berwi'r ffwng mewn llefrith i'w roi fel ffisig i'r ŵyn. Mae ymylon y 'dail' yn tueddu i blygu at i mewn fel ymyl clust, a chan fod yr enw'n hollol newydd i mi, dyma fynd i chwilio ei achau. Doedd dim hanes ohono mewn llyfrau blodau a phlanhigion, ac mae'n debyg na ddylid ei restru ymhlith coed a blodau chwaith, ond o'r diwedd dyma gael hyd iddo yng Ngeiriadur Prifysgol Cymru, mewn colofn hir ar 'clust' a clustiau. Yn y golofn honno mae rhestr faith o blanhigion, o glust yr arth i glust yr ysgyfarnog, ac yn eu plith 'clustiau'r ddaear', gyda'r ffurf Ladin 'Peltigera canina' y gellid ei gyfieithu, mae'n debyg, fel Tariannydd y Cŵn. Dyna'r planhigyn yn tyfu dan ein traed ar hen dir porfa, felly. Gwnaeth hyn i mi gofio (yn enwedig ar ôl gweld lôn Rhoslan wedi ei macadameiddio mor drwyadl yn ddiweddar) fel y byddai rhimyn o laswellt gynt ar hyd canol ffyrdd y 'plwy', ffosydd dyfnion o boptu, a llwybrau olwynion ar bob ochr i'r rhimyn glas. Ar y llwybrau hynny byddai gro mân wedi caledu, pleserus iawn i wibio drosto ar gefn beic, ac ar y llain ganol byddai planhigion heblaw glaswellt, fel y gamri ddi-betal ag iddi oglau afalau.

Dri chan mlynedd i eleni yn 1695 y cyhoeddodd Edward Llwyd ei 'Design' ar gyfer casglu deunydd i gyfres o gyfrolau a fyddai'n cynnwys enwau lleoedd, arferion gwerin, rhestrau o blanhigion ac anifeiliaid Cymru. Bu farw cyn mynd ymlaen â'i gynllun, ond cyhoeddwyd ei Archaeologia Britannica, 'y llyfr safonol cyntaf ar yr ieithoedd Celtaidd'.

Mae'n dda gweld bod Thomas Jones, yn y Bywgraffiadur Cymreig, yn rhestru cyraeddiadau Edward Llwyd fel hyn: botanegwr, daearegwr, hynafiaethydd ac ieithegydd – hynny yn nhrefn yr wyddor, hwyrach, ond ni chlywais air o sôn amdano yn yr ysgol ond o berthynas i'w ymchwil fotanegol a'r blodeuyn a enwyd ar ei ôl: Lloydia Serotina, Lili'r Wyddfa. Yn Y Genhinen yn 1891 cafwyd ysgrif hollol werthfawrogol o'i waith a'i yrfa gan O.M. Edwards, ac yn Y Traethodydd, 1895, mae John Morris Jones yn cyfaddef fel y darganfu waith Edward Llwyd, gŵr na wyddai ddim amdano cyn hynny.

Os cawn neidio canrif arall hyd at eleni, mae Penguin wedi dechrau cyhoeddi 60 o rannau o'u llyfrau fel cyfrolau bach (o ran maint hefyd) am 60c yr un. Oes, mae rhywbeth yn y rhif chwech. Drigain mlynedd (neu chwe deg) yn ôl, chwecheiniog oedd pris cyfrol lawn yng nghyfres Penguin, sydd heddiw'n cyhoeddi darn o lyfr am bris sydd yn fy meddwl i'n dal i olygu deuddeg swllt, sef pedair gwaith ar hugain pris llyfr cyfan yn y dyddiau da.

Prun bynnag, mae darllen y detholiad byr o lyfr Paul Theroux (a fu yntau yn Eifionydd yn ei dro) ar China yn y gyfres hon yn wers sobreiddiol: Byd fel hyn fydd ein dyfodol, meddai; nid byd yn anfon gwyddonwyr i'r lleuad, ond byd a fydd yn llafurio a llwgu mewn llwch a llaid, a'r cyfan yn llwyd hefyd.

(Gorffennaf/Awst 1995)

O Nefyn i Great Yarmouth

Ar ddiwedd Awst eleni, ag yntau ar ei dro yn Nefyn yn ei hen gartref, daeth Emrys Parry heibio ar un o'i ymweliadau cyson. Y mae'n byw yn Great Yarmouth ers mwy na deng mlynedd ar hugain, yn athro mewn coleg celfyddyd. Porthladd bychan sydd yno, ar ymyl eithaf y rhan o ddwyrain Lloegr a elwir yn East Anglia, a'i stiwdio yntau yn wynebu'r dwyrain. O'r glannau mae rhostir a chorstir gwastad yn ymestyn am ddeng milltir i mewn i'r wlad. Dyma wlad siroedd Norfolk a Chaergrawnt ac Elai, gwlad lle mae'r eglwysi cadeiriol mawr yn ymgyrraedd at y nefoedd. Yr oeddwn newydd fod yn darllen un o lyfrau Sybil Marshall am fywyd yn y wlad honno, lle mae'r tir sych rhwng y dyfroedd maith yn cael ei gyfrif yn 'ucheldir', a'r ffosydd mawr yn uwch na'r tir o'u hamgylch, yn debyg i'r ffordd haearn mewn rhannau o'n hardaloedd ni.

Fel Great Yarmouth y mae Nefyn wrth gwrs yn dref a chanddi draddodiad morwrol maith cyn iddi fod yn dref glan môr yn yr ystyr sydd i le felly heddiw, ac y mae gan Emrys gyfoeth o'r traddodiad a drosglwyddwyd iddo gan ei daid, a llawenydd iddo oedd darganfod un o'r llongau a hwyliodd o Nefyn a Phwllheli ar gael o hyd yn Great Yarmouth. Casglu defnyddiau ar gyfer astudiaethau a darluniau y bydd wrth ddychwelyd i Nefyn, a'r tir, erbyn hyn, yn cynnig mwy o gyfoeth iddo na'r môr a'i bethau.

Mae'n ddigon hawdd sôn am 'awyrgylch' wrth drafod darluniau, ond pwysicach na'r ymadrodd llac hwnnw ydyw

Emrys Parry : Capel Mynydd

ymateb artist a fagwyd mewn bro, un sy'n ei hadnabod yn drylwyr. 'Y lle hwn a'm gwnaeth yn beintiwr' meddai Constable am lannau afon Stour, a gallai Emrys Parry ddweud yr un peth wrth ystyried Stryd Llan, Stryd Wesla, Pen Maes, Y Fron, Pen Isa'r Dre, ac wrth gwrs Y Mynydd, a'i fythynnod yn labelu'r caeau, a Charn Boduan uwchben. A gellir ymestyn ymhellach nag union gwmpasoedd Nefyn ei hun, fel y Pistyll a Llanfihangel Bachellaeth.

Cafodd lawer o destunau gwaith ar Garn Boduan, gan gynnwys boncyff a gludodd oddiyno i Great Yarmouth i wneud astudiaethau ohono. Cyfieithodd ddarnau o goed yn 'wrthrychau' gwahanol, a gwneud astudiaethau o blith rhai ymysg y cant a saith-deg o 'gutiau Gwyddelod' sydd yno, gweddillion yr hen amddiffynfa a godwyd yno yng nghysgod y waliau mawr sy'n eu hamgylchynu.

Ac y mae'n hoff o'r hen eglwysi a'u mynwentydd:

Llanfihangel Bachellaeth ydyw'r 'lle tawela 'ngwlad Llŷn' meddai Cynan, ac y mae hynny'n ddigon gwir am y fangre sydd bron ar union ganol y penrhyn. Does dim byd neilltuol yng ngolwg yr eglwys ei hun, ar wahân i'r grisiau cerrig o'r tu allan sy'n arwain i oriel fach y tu mewn iddi. Gellir gweld y rhan fwyaf o Lŷn ac Eifionydd oddiyno, teimlo eich bod bron ar lethrau Garn Fadryn, a chyfrannu yn swyn ac urddas yr enw 'Bachellaeth'. Yn y tir hwnnw hefyd y mae Saethon, sy'n cynnwys hen dŷ yn ogystal â'r tŷ fferm diweddarach.

Waeth heb na disgwyl esiamplau o dywallt lliw na phentyrru paent yng ngwaith Emrys Parry. Fel pob artist, y mae'n ymwybodol iawn o rithmau a phatrymau, ond eto nid fel addurn na ffansi, ond arlunio mewn sercol fel bod effaith y cyfrwng yn ddu fel glo wrth ei rwbio'n galed ar y papur. Cynnil ydyw ei 'eirfa' mewn lliwiau hefyd: creu pob math o liw gwyrdd, er enghraifft, allan o gymysgedd o ddu a melyn.

(Medi 1995)

Llythyrau K.R.

Wrth sylwi ar ymdrech selog Guto Roberts dros y mudiad i adfer Cae'r Gors, hen gartref Kate Roberts, cofiaf am yr ohebiaeth a fu rhyngof â hi yn y pumdegau a'r chwedegau. Nid oedd hi'n hoff o drin teipiadur, ac mewn llawysgrif athrawes yr oedd ei llythyrau bob tro. Yn 1957 yr oedd ganddi ddosbarth yn Y Rhyl, ac yr oedd yr aelodau wedi dewis teithio i Sir Gaernarfon am eu taith flynyddol. Mewn un llythyr, mae'n dweud, 'Mae'n ddigon posib y bydd rhai ohonynt eisiau gweld bedd Lloyd George, ond fe arhosaf fi yn y bws y pryd hynny'. Honno oedd blwyddyn Eisteddfod Llangefni, a K.R. oedd yn beirniadu cystadleuaeth y Fedal Ryddiaith. 'Mae gennyf waith mawr at y Steddfod', meddai, 'saith cyfrol o storïau byrion'. Tua'r adeg honno hefyd yr oedd wedi ymddeol o swyddfa'r Faner, ac meddai, 'Yr wyf yn ceisio clirio'r llanast a ddeuthum gyda mi o'r swyddfa flwyddyn yn ôl. Mae'n berig taflu dim'.

Yn yr Ysgol Sir buom yn ffodus bod ei chyfrol o storïau byrion 'Rhigolau Bywyd' yn rhan o'r maes llafur ar gyfer Lefel 'A' yn 1935 neu 1936, er bod y llyfr wedi ymddangos gyntaf yn 1929, ac yn darllen yn dra gwahanol i bopeth a gyhoeddwyd yn Gymraeg yn yr union gyfnod hwnnw. O ail afael yn y gyfrol, gwelir fod ystyr newydd hefyd yn yr ystyr o 'lyfr mewn llaw' gan fod y cloriau wedi eu rhwymo mewn canfas gweddol fras, menter go newydd yr adeg honno, gollyngdod ar ôl cloriau llithrig llyfrau fel dramâu Shakespeare a chyfrolau Saesneg eraill yn y maes llafur. Yr oedd 'Rhigolau Bywyd' yn newid hefyd felly am ei fod yn llyfr a wisgai frethyn. Cefais wahoddiad unwaith i annerch cymdeithas lenyddol Dinbych – a chael swper gyda Kate Roberts. Ond y peth mwyaf cofiadwy am y noson i mi oedd iddi godi'n storm ddychrynllyd, a'r teimlad o gael fy hyrddio gan y gwynt wrth groesi Mynydd Hiraethog ac wedyn wrth ddynesu ar hyd y lôn fawr am Fetws-y-coed. Daliodd i ysgrifennu ataf hyd 1969.

Yr oedd cyrchfan arall amlwg yn y chwedegau a dynnai gynulleidfa fawr i Garthewin, cartref R.O.F. Wynne. Yno y cynhelid garddwest Plaid Cymru, ac yno byddai'r sgweiar yn annog pawb i fwynhau'r te efo mynych anogaeth 'Have you had tea?' Anodd fyddai dychmygu am ddau gartref mwy gwahanol i'w gilydd na Chae'r Gors a Garthewin. Eto, yr un achos yn union a ddeilliodd o'r ddau le.

(Tachwedd 1996)

Lleoedd

Yn ei lyfr 'Llenyddiaeth Gymraeg 1900-1945', mae Thomas Parry yn sôn am 'y gred gyffredin na ddylai beirniad o Gymro a ysgrifenno yn Gymraeg drafod dim byd ond llên Cymru'. Mae rhywun yn deall y pwynt, ac wedyn wrth gwrs yn crafu ei ben i gofio am bynciau eraill yr ysgrifennwyd amdanynt yn Gymraeg. Oes, mae pynciau eraill a drafodwyd, fel y llyfr gwerthfawr 'Cymru a'i Phobl' gan Iorwerth C. Peate, y buom yn ei astudio yn yr ysgol sir, ac a fu'n boen arteithiol ar groen ambell un. Anthropolegydd, astudiwr hynt a helynt ac arferion ac amgylchedd dynion oedd ei briod faes. Mae'n debyg mai'r mwyaf adnabyddus o'i weithiau – a hynny i raddau oherwydd ei gyhoeddi yn Saesneg, oedd 'The Welsh House', yr unig gyfrol am ddulliau'r tai gwir frodorol yng Nghymru. Llyfr arall a ddylai apelio at bawb yng Nghymru ydyw'r Rhestr o Enwau Lleoedd a olygwyd gan Elwyn Davies ar ran Pwyllgor Iaith a Llenyddiaeth Bwrdd Gwybodau Celtaidd Prifysgol Cymru, a'i gyhoeddi yn 1975. Yr enw cyntaf yno yw Aber, a'r olaf, Ystwffwl Glas, ogof ar Ynys Enlli. Nid oes rhestr o ogofau eraill yn y llyfr chwaith; a chyda llaw mae Enlli nid yn unig yn ynys ond yn blwyf hefyd, ac fe enwir 'plwyf gwirin gwerin Enlli' gan un o'r beirdd cynnar.

Ond fel gyda'n Hynys ni yn Eifionydd, nid ynysoedd fel y cyfryw yw'r tri dwsin a mwy o fannau yng Nghymru sy'n cynnwys y gair o flaen eu henwau. Pentrefi ydyw amryw ohonynt, a gorynys, neu drwyn o dir yn ymestyn i'r môr fel yr adnabyddus Ynys Llanddwyn, sy'n cynnwys goleudy mewn unigrwydd, ac yn ddigon diarffordd, ond mi fedrwch gerdded iddi bob cam heb wlychu traed.

Mi glywaf ar yr aelwyd
Am Ledrod a Phenuwch,
Na wn i ddim amdanynt
Ond sefais ar Drwyn y Fuwch.

Ni chlywais yr 'hwyrol Garol'
O glochdy Llandygái,
Ond mi fûm yn gweld y gatiau
A chael te ym mhlas Coedllai.

Sut le sydd yn Llandyfrydog,
Ger Mynydd Bodafon, Môn?
Neu eglwys lwyd Llandrygarn,
A welir draw o'r lôn.

O aros yn Llandudwen
Cewch olwg ar y byd,
A llwybrau hen, cymdogol
O gylch yr hafan glyd.

Mi rodiais yn Llansteffan,
A phentref Llan y Bri
Heb groesi i Dalacharn
Dros wyneb llwyd y lli.

Cynefin oedd Llandegfan
Cyn iddo newid dim,
Porth Ferin a Phorth Iago
A bwa Pont y Cim.

(Rhagfyr 1996)

Iaith Nain

Dwi'n siwr mai'r petha cynta dwi'n eu cofio ydi geiria. Mae'r hen wraig, fy hen nain Margiad Gruffydd, yn eistedd mewn cadair wellt, yn dal clap o fferis rhwng bys a bawd, yn betrus braidd. 'Rhowch o iddo fo' meddai fy nhaid. Erbyn gweld, doeddwn i ddim yn dair oed ar y pryd, ac fel y gwn i erbyn hyn roedd hi, fy hen nain, wedi ei geni cyn teyrnas Victoria, yn 1833. Waeth imi ddweud rwan ar y cychwyn fod dyddiadau yn golygu llawer iawn imi. Efo dyddiadau mae'n bosibl mesur y gorffennol, a pheth go annigonol ydi sôn am 'erstalwm' neu'r 'hen bobol' heb fedru nodi pryd yn union yr oedd hynny. Soniais i am fy hen nain a'i thad hithau hefyd, yn un o'r darnau hyn, sef fy ngorhendaid John Gruffydd, wedi ei eni yn 1803. Na, dydw i ddim yn ei gofio fo, ond rydw i'n teimlo'n nes ato o wybod y flwyddyn.

Yn ein tŷ ni, ar wahân i'r adegau pan fyddai fy nhad gartref o'r môr, roedd yna bump ohonom ni ar y dechrau, a hynny'n golygu bod fy mrawd a minnau dan effaith yr iaith fel yr oedd hi'n dal i gael ei llefaru gan fy mam a nhaid a nain, a'r un geiriau, yr un ymadroddion, wedi cyrraedd atom ni'n ddigyfnewid dros genedlaethau. Doedd neb o'n hynafiaid cyn cenhedlaeth ein rhieni yn medru dim Saesneg, ac mae'n siwr fod dechreuad felly, a'r Saesneg yn rhywbeth damweiniol ac allanol, yn peri rhyw wahaniaeth.

Roedd hyn cyn oes y radio a heb bapur Saesneg yn cyrraedd y tŷ. Taid yn darllen Y Genedl ac yn cael ei gysur bach wrth ei galw hi – (fedrach chi ddim galw'r papur hwnnw yn 'fo') – yr 'hen Jenedl'. Sylwi hefyd bod mam yn cael tipyn o ddifyrrwch efo rhai o'r penawda yn y papur. Dal yn arddull y ganrif cynt yr oedd y wasg yr adeg honno, a mam yn gweld pennawd fel 'Damwain Erch' yn gomic braidd – nid am ei gynnwys, wrth reswm, ond am ei steil.

Roeddan ni hefyd yn arfer clywed, yn gynnar, sŵn tafodiaith dipyn bach yn wahanol i'n hiaith ni yn Eifionydd. Y rheswm am hynny oedd bod y tŷ yma yn hen dafarn, tafarn y porthmyn ar un adeg, a thraddodiad lletya yn parhau. Ambell dymor mi fyddai dynion y coed – dynion torri a llusgo coed mawr o'r coedwigoedd – yn aros yma, a'u ceffylau trymion yn y stabal. Rhai o ardal Dolgellau a'r Brithdir ym Meirionydd oeddan nhw, ac mae gen i gof am un ohonyn nhw'n gofyn imi am ryw blanhigyn yn yr iard: 'Wyddost ti be di hwn? Dail buddugied'. Dail buddugied. Ein henw ni arno fo oedd Dail Beibil, oherwydd yr arferiad o gadw deilen ohono rhwng dalennau'r Beibil neu Eiriadur Charles. Mae'r planhigyn hwnnw yn dal i ffynnu a chynyddu yma o hyd.

Fedra i byth wadu effaith neilltuol yr iaith yr oeddwn i'n ei chlywed bob dydd, ac ymhen blynyddoedd, wrth gyfieithu un o ddramâu Harold Pinter, mi sylweddolais fy mod i'n tueddu i roi troeon ymadrodd a chymalau iaith fy nain i gymeriadau hollol Seisnig a Llundeinig. Etifeddiaeth oedd yr iaith, ond wir roedd hi hefyd fel petai hi'n rhan ohonom ni cyn ein geni.

(Ebrill 1997)

Darlunio Llyfrau

Er bod darllenwyr llyfrau Cymraeg mor hoff o edrych ar ddarluniau mae'n siwr â'r rhai sy'n darllen llyfrau mewn ieithoedd eraill, 'does yna ddim traddodiad cryf iawn i'r grefft o ddarlunio llyfrau yng Nghymru. Prin y cafodd awdur Cymraeg ei gysylltu â darlunydd neilltuol fel y byddir bob tro'n cysylltu Lewis Carroll neu Charles Dickens efo'r arlunydd lawn cymaint â'r awdur. Pwy sy'n cofio bellach pwy wnaeth y darluniau ar gyfer yr argraffiad cyntaf o Rhys Lewis? Eto mae nifer fawr wedi mwynhau syllu ar hen Feibil darluniadol neu'r lluniau bygythiol a rhyfedd yn Nhaith y Pererin. Ac y mae ar bawb a ddechreuodd ddarganfod llyfrau yn y blynyddoedd ar ôl y Rhyfel Byd Cyntaf ddyled fawr i ffyddlondeb Mitford Davies yn ei waith i Cymru'r Plant, neu'r cyfuniad rhyfeddol rhwng Tegla ac Illingworth yn 'Nedw' a 'Gŵr Pen y Bryn' . . . Byddai O.M. Edwards yn gofalu bod ganddo ddigon o ddarluniau mewn llyfr a chylchgrawn, ac yn wir mae rhyw hiraeth melys rhyfedd yn yr hen luniau bach Fictoraidd sy'n britho tudalennau Cartrefi Cymru neu Gyfres y Fil.

Ac mewn cysylltiad ag O.M. Edwards yr oedd y tro cyntaf i mi ddarganfod gwaith Kelt Edwards. Tudalen o Gymru'r Plant oedd hwn, yn cynnwys llun ar gyfer llyfrau personol O.M. Roedd y llun yn cynnwys portread, tyner a hollol Gymreig ei naws, o Syr Owen yn ei ystafell, pethau sgrifennu o'i gwmpas, darlun o'r Neuadd Wen ar y pared, penwisg marchog ar wydr y ffenest, a chyfrolau o Cymru a

Chyfres y Fil ar y bwrdd.

Ym Mlaenau Ffestiniog y ganed John Edwards, yn 1875, yn fab i siopwr. (Yn ddiweddarach, ar y cyfandir, y mabwysiadodd yr enw 'Kelt'.) Cafodd fynd i goleg Llanymddyfri ac i ysgol yn Jersey ac wedyn i Baris a Rhufain ac i Florence, pob mantais i ddatblygu ei dalent. Yn ôl Beriah Gwynfe Evans yr oedd Kelt Edwards yn fwy o Gelt nag ydoedd o Gymro, yn Rhufeiniwr yn Rhufain a Llydawr yn Llydaw. Yno daeth i adnabod Taldir a dyna lle byddai'r ddau yn cerdded strydoedd Ffestiniog mewn gwisg Lydewig, a phobl yn meddwl mai tramorwyr di-Gymraeg oedd y ddau.

Ond yr oedd cysylltiad agos rhwng Kelt Edwards a Chymru. Yn Ionawr 1918 yr oedd yn anfon cerdyn at Gwili ac arno gopi o'i ddarlun ar y testun 'Hiraeth Cymru am Hedd Wyn', ac meddai mewn nodyn ar y cefn 'welsoch chi englyn Eifion Wyn i'r cerdyn yma yn y Brython heddiw?' Dyna grynhoi cryn dipyn o fywyd Cymru ar y pryd i un frawddeg fer, ac y mae'n bur debyg y buasai'n well i Kelt Edwards a'i waith petai Cymru wedi gwneud defnydd mwy sensitif ohono. Rhaid cofio mai chwaeth ddigon ffilistaidd oedd yn bod mewn peintio ac arlunio ym Mhrydain yn y cyfnod hwnnw. Yr oedd egni manylder oes Victoria wedi peidio â bod, a mudiadau newydd y byd modern heb ennill eu plwy.

Pan oedd yn saith ar hugain oed yr oedd Kelt wedi darlunio cyfieithiad Daniel Rees o 'Dwyfol Gân' Dante. Gorchwyl anodd oedd hon gan fod llawer artist adnabyddus wedi bod wrth y gwaith o'i flaen, ond peth iach oedd i awdur cyfieithiad Cymraeg ymddiried y gwaith i arlunydd ifanc o Gymro, a'i dalu amdano hefyd. Byd arall y bu Kelt yn gweithio ynddo oedd portreadau o'i ddychymyg o rai o gymeriadau'r mabinogi, ond a barnu oddi wrth esiamplau o'i blatiau lliw ar gyfer llyfrau, yn arbennig yr un i lyfrgell

Syr John Rhys yn Aberystwyth, yn y cyfeiriad yma yr oedd ar ei orau. Mae'n syndod na fyddai Cymru'n sylweddoli, a'r cynganeddion yn rhan mor bwysig o'n diwylliant, mai i gyfeiriad addurn a manylder y mae ein tynfa naturiol ni mewn llun a lliw.

Y gred boblogaidd oedd fod artist yn fwy o artist os oedd o'n enwog, ac i fod yn enwog roedd rhaid peintio portreadau, dim ots am eu safon os oedd y gwrthrych yn amlwg ac adnabyddus. Meddai Beriah Gwynfe Evans eto: ' . . . dringed yn ddigon uchel er mwyn ysbrydoli aml i Joshua Reynolds sydd heddiw'n chwarae marblis ar strydoedd Cymru heb agor mo'u llygaid i'r gweledigaethau sydd yn eu haros'.

(Mai 1997)

O Benfro i Ben Llŷn

Bob dydd, wrth wrando ar y radio, yr ydym yn siwr o glywed y geiriau: y newyddion o Benfro i Ben Llŷn, fel petai hynny'n ddau eithaf adnabyddus a derbyniedig. Wel, y pellter rhyngddynt sydd fawr, ac yn sicr byddai'n ormod i'w gerdded y naill ffordd neu'r llall, a phan ewch i Benfro, prun ai i'r dref neu i'r sir, cewch y teimlad o fod ymhell iawn o Eifionydd, heb sôn am Lŷn.

Cofiaf am yr amser pan fyddai raid imi fynd i Aberdaron bob dydd, ac ymhellach nag Aberdaron hefyd, i ysgol Deunant. Ydi, mae honno'n ddigon o daith ddyddiol, ond diolch nad oes gofyn i rywun deithio bob dydd i Benfro. Dydi Penfro, prif dref y sir debyg, ddim yn dref fawr, na Thyddewi chwaith, na Hwlffordd, ond mae gan bob un ohonynt gymeriad. Yn Nhyddewi, er enghraifft, mae'r garreg yn ddieithr, ei lliw a'i chymeriad yn wahanol i'r cerrig sydd o'n cwmpas ni. Ac wrth gwrs mae'r awyr yn wahanol, yn union fel y mae'n amrywio rhwng pob bryn a dyffryn drwy Gymru.

Am du arall y darian – y 'Pen Llŷn' a wnaed yn nod neu derfyn gan Radio Cymru. Wrth lwc, neu drwy drugaredd, mae llyfr ar gael gan Wasg y Brifysgol sy'n rhestru orgraff pob enw lle drwy Gymru, boed dref neu bentref neu lyn neu afon. Ac o drugaredd eto, mae hyd yn oed yr enwau ansicr neu amwys wedi eu rhestru ynddo bob un. Ac ydi, mae Pen Llŷn ynddo, ac esboniad arno hefyd. Y diffiniad o'r enw Pen Llŷn yn gryno ydyw ardal ym mhlwy Aberdaron, nid rhyw fraich o dir rhwng Abererch ac Ynysoedd Gwylanod, nac yn sicr rywle i'r gorllewin o Borthmadog. Am fod rhyw ychydig mwy o afael ar y gair, mae'r ymadrodd Pen Llŷn yn rhy hawdd a hwylus i gael gafael ynddo, ac fel y dywedir yn y rhigwm: 'Nid y Llŷn sydd ger Pwllheli, Ond y lliw a'r llun sydd arni'. Llyfr gwerthfawr iawn ydyw gwaith Tomos Roberts a Gwilym T. Jones ar Enwau Lleoedd Môn. Llyfr sy'n cynnwys hyd yn oed bob llyn bach a mawr, sy'n peri i rywun synnu bod cynifer o lynnau ar yr ynys.

Mae rhywun yn ymddiried mewn llyfr felly, ond yn anffodus nid oes modd bod yn sicr ynghylch defnydd y radio o leoliadau.

Mae daearyddiaeth mewn ysgol yn addysg wirioneddol werthfawr. Cofiaf am yr athro, W.M. Richards, yn rhoi gwersi inni ar y diwydiant olew yng ngorllewin Affrica, ac yn gofyn unwaith sut yr oeddid yn cludo'r olew o'r planhigfeydd (olew palmwydd oedd yno) o'r glannau i'r llongau.

Gwyddwn yn iawn beth oedd y broses, gan mai ar y llongau hynny yr oedd fy nhad ar y pryd, ac yn y tŷ yr oedd anferth o galendr lliw yn darlunio'r cychod a'r broses o'i gludo i'r llongau yn hollol fanwl. Wrth gwrs, pan ofynnwyd sut yr oeddwn yn gwybod am y broses, yr oeddwn yn rhy swil i egluro fod fy nhad yn y fan a'r lle ar y pryd.

Daearyddiaeth am byth felly, a hanes os oes raid!

(Gorffennaf/Awst 1997)